Bitterschokolade

Mirjam Pressler

Bitterschokolade

LANGENSCHEIDT
Berlin · München · Wien · Zürich · New York

Leichte Lektüren für Jugendliche

Herausgegeben vom Goethe-Institut München

Zu diesen Jugendbuch ist ein Didaktisierungsvorschlag von Kees van Eunen erschienen.

Umschlag und Illustrationen: Anja Verbeek

Redaktion: Hedwig Miesslinger

Dieses Werk folgt der reformierten Rechtschreibung.

Dieses Buch darf nicht in folgende Länder verkauft werden:
Bundesrepublik Deutschland, Österreich, Schweiz, Liechtenstein.

Druck:	8.	7.	6.	5.
Auflage:	2002	2001	2000	1999

Druck: Druckhaus Langenscheidt, Berlin
Printed in Germany. ISBN 3-468-96702-0

Mirjam Pressler, geb. 1940 in Darmstadt, sechs Semester Studium an der Akademie für Bildende Künste in Frankfurt/M. Verschiedene Jobs in München, Arbeit in einem israelischen Kibbuz, danach Rückkehr in die BRD, Heirat und drei Kinder.

Sie hatte nach der Trennung von ihrem Mann acht Jahre einen Jeansladen und lebt als freie Autorin und Übersetzerin in München.

Für ihren Roman *Bitterschokolade* erhielt sie 1980 den Oldenburger Jugendbuchpreis, für *Stolperschritte* wurde sie mit dem Zürcher Kinderbuchpreis “La vache qui lit” ausgezeichnet.

Anja Verbeek, geboren 1964, studierte Germanistik und Kunstgeschichte in Bonn und lebt seit 1985 in München, wo sie an der Akademie der Bildenden Künste Malerei und Grafik studiert hat. Inzwischen sind mehrere von ihr illustrierte Bücher erschienen.

Inhaltsverzeichnis

Eva: die große Angst in der Schule
und die kleinen Freuden danach 9

Erst Mittagessen und was macht man dann? 16

Ein Elefant, der Eva heißt, und Cola
im Gartencafé 22

Lachs im Kühlschrank und Eva weint 28

Probleme mit der Schule und warum Eva
in der Pause allein ist 32

Mit Michel am Fluss und warum Eva Angst hat 35

Ärger zu Hause, Tränen in der Schule
und ein Gespräch in der Nacht 42

Ein schöner Samstag und ein böser Traum 47

Warum es in der Disko toll ist und danach nicht 53

Freiheit als Traum und Freiheit mit einem Stück
Schokolade 58

Das neue Kleid, aber sonst ändert sich nichts 65

Ein Fest mit gutem Anfang und bitterem Ende 70

Probleme mit dem Essen und Probleme
mit Mathematik 81

Eva hat einen Freund und will nicht, was er will 86

Neues Selbstvertrauen und alles geht ganz leicht 91

Michel fährt weg, aber ein Stück Käsekuchen
ist immer gut 97

Ein Tag mit Überraschungen und neuen Plänen 103

Wie Eva eine Hose und ein Hemd sucht
und etwas ganz anderes findet 107

Eva: die große Angst in der Schule und die kleinen Freuden danach

"Eva", sagt Herr Hochstein. Eva senkt den Kopf, greift nach ihrem Füller, schreibt. "Eva", sagt Herr Hochstein noch einmal. Eva senkt den Kopf tiefer, greift nach Lineal und Bleistift, zeichnet die Pyramide. Sie hört ihn nicht. Sie will ihn nicht hören. Nicht aufstehen, nicht zur Tafel gehen. Was tun? Sie sucht in ihrer Schultasche nach dem Radiergummi. Man kann lange nach einem Radiergummi suchen. Ein Radiergummi ist klein in einer großen Schultasche.

"Barbara", sagt Herr Hochstein. In der dritten Reihe steht Babsi auf und geht zur Tafel. Eva schaut nicht hoch. Aber sie weiß trotzdem, wie Babsi geht: mit schmalen, langen Beinen, mit einem kleinen Hintern in engen Jeans.

"Gut hast du das gemacht, Barbara", sagt Herr Hochstein. Babsi kommt durch den schmalen Gang zwischen den Bänken zurück. Es klingelt.

Dritte Stunde, Turnen. Im Umkleideraum Kichern und Lachen. Eva zieht die lange schwarze Turnhose an, wie immer, und dazu ein schwarzes T-Shirt mit kurzen Armen. Sie gehen zum Sportplatz. Frau Madler pfeift und alle stellen sich in einer Reihe auf. Handball.

"Alexandra und Susanne wählen die Mannschaft."

Eva bückt sich, öffnet die Schleife an ihrem linken Turnschuh und zieht den Schnürsenkel heraus.

Alexandra sagt: "Petra."

Susanne sagt: "Karin."

Eva hat den Schnürsenkel durch die beiden untersten

Löcher geschoben und zieht ihn gerade.
“Karola.” – “Anna.” – “Ines.” – “Nina.” – “Kathrin.”
Eva schaut nicht hoch.
“Maxi.” – “Ingrid.” – “Babsi.” – “Monika.” – “Franziska.” – “Christine.”
Eva beginnt mit der Schleife. Sie kreuzt die Schnürsenkel und zieht sie zusammen.
“Sabine Müller.” – “Lena.” – “Claudia.” – “Ruth.” “Sabine Karl.”
Eva legt die Schleife.
“Irmgard.” – “Maja.” – “Inge.” – “Ulrike.” – “Hanna.” – “Kerstin.”
Ich muss meine Turnschuhe mal wieder waschen, denkt Eva.
“Gabi.” – “Anita.” – “Agnes.” – “Eva.”
Eva zieht die Schleife fest und steht auf. Sie ist in Alexandras Gruppe.
Eva schwitzt. Der Schweiß läuft ihr von der Stirn über die Augenbrauen, über die Backen und manchmal sogar in die Augen. Immer wieder wischt sie mit dem Unterarm über das Gesicht. Der Ball ist hart und schwer und die Finger tun ihr weh, wenn sie ihn einmal fängt.
Auch die anderen sind verschwitzt, als die Stunde zu Ende ist. Eva geht sehr langsam zum Umkleideraum, zieht sich sehr langsam aus. Sie nimmt ihr Handtuch und geht zum Duschraum. Nur noch ein paar Mädchen sind da. Eva geht zur hintersten Dusche. Sie lässt sich das kalte Wasser über Rücken und Bauch laufen. Nicht über den Kopf, das Föhnen dauert ihr zu lange. Jetzt ist sie ganz allein im Duschraum. In aller Ruhe trocknet sie sich ab. Sie hängt sich das Handtuch wieder so über die Schulter, dass es ihren Busen und ihren Bauch verdeckt. Im Umkleideraum ist auch niemand mehr. Als sie sich den Rock anzieht, schaut Frau Madler herein. “Ach, Eva, du bist noch da. Bring mir doch nachher den Schlüssel.”

Eva kreuzt die Arme über der Brust und nickt.
Die große Pause hat schon angefangen. Eva holt sich ein Buch aus dem Klassenzimmer und geht auf den Schulhof. Sie drängt sich zwischen den anderen hindurch bis zum Baum in ihrer Ecke. Ihre Ecke. Sie setzt sich neben den Baum und blättert in ihrem Buch, sucht die Stelle, an der sie gestern aufgehört hat zu lesen. Neben ihr stehen Lena, Babsi, Karola und Tine. Babsi ist die Schönste. Ihr T-Shirt ist weiß und so dünn, dass man ihre Brust sieht. Dass sie den Mut dazu hat!
Eva findet die Stelle in ihrem Buch. *Unser Essen ist miserabel. Frühstück mit trockenem Brot und Kaffeeersatz. Mittagessen schon seit vierzehn Tagen: Spinat oder Salat. Zwanzig Zentimeter lange Kartoffeln, schmecken süß und faul.*
"Ich war gestern in der Disko. Mit Johannes, dem Sohn von Dr. Braun."
"Mensch, Babsi, das ist toll. Wie ist er denn, so aus der Nähe?"
"Prima! Und tanzen kann der!"
Eva liest weiter. *Wer abmagern will, logiere im Hinterhaus!*
"Seid ihr mit seinem Auto gefahren?"
"Natürlich."
"Mein Bruder ist mit ihm in einer Klasse."
Die anderen kichern. Eva kann nichts mehr verstehen, sie flüstern jetzt.
Eva betrachtet Karola und Lena. Lena hat den Arm um Karola gelegt. So, genau so, hatte Karola früher den Arm um sie gelegt. Eva kennt das Gefühl von Wärme, das man fühlt, wenn einem jemand den Arm um die Schulter legt. Ganz offen, vor allen andern. Sie schaut schnell weg. Es tut weh, das zu sehen. Wissen sie denn nicht, dass es den anderen wehtut? Den anderen, die niemanden haben. Die allein sind.
Franziska setzt sich neben Eva.

“Was liest du denn?”
Eva klappt das Buch zu.
“Das Anne-Frank-Tagebuch”, sagt Franziska laut. “Ich kenne es auch. Gefällt es dir?”
Eva nickt. “Ja, sehr. Obwohl es mich manchmal sehr traurig macht.”
“Magst du traurige Bücher?”
“Ja. Ich finde, wenn ein Buch gut sein soll, muss man auch manchmal weinen können.”
“Ich weine eigentlich nie beim Lesen. Aber im Kino, wenn es traurig ist, weine ich sehr schnell.”
“Bei mir ist es umgekehrt. Im Kino weine ich nie, aber beim Lesen oft. Ich gehe aber auch selten ins Kino.”
“Wir können mal zusammen gehen. Magst du?”
Eva zuckt mit den Schultern. “Können wir.”
Sie überlegt. An welchen Stellen weint sie eigentlich beim Lesen? Bei bestimmten Wörtern. Wörtern wie Liebe, Streicheln, Vertrauen, Einsamkeit. Kitschige Wörter.
Eva steht auf. “Ich hole mir einen Tee”, sagt sie. Sie will Franziska nicht verletzen. Sie ist die Einzige, die sie begrüßt, wenn sie morgens in die Klasse kommt.
Eva kommt immer spät. Im letzten Moment. An der Ecke Friedrichstraße/Elisabethstraße ist eine Uhr, dort wartet Eva, bis es vier Minuten vor acht ist. Sie will nicht so früh kommen. Sie will das ‘Weißt-du-gestern-habe-ich’ nicht hören.
Der Tee ist heiß und schmeckt fade und zu süß.

Eva steht vor dem Schaufenster des Delikatessengeschäfts Schneider. Sie steht dicht an der Scheibe, damit sie ihr Bild im Glas nicht sehen muss. Sie will sich nicht sehen. Sie weiß auch so, dass sie zu fett ist. Jeden Tag, fünfmal in der Woche, kann sie sich mit anderen vergleichen. Fünf Vormittage, an denen sie die anderen in ihren engen Jeans sehen kann. Nur sie ist so fett, dass

keiner sie anschauen mag.
Sie war elf oder zwölf, als es angefangen hat. Sie hatte immer Hunger und wurde nie satt. Und jetzt, mit fünfzehn, wiegt sie einhundertvierunddreißig Pfund. Siebenundsechzig Kilo. Und sie ist nicht besonders groß.
Auch jetzt hat sie Hunger, immer hat sie nach der Schule Hunger. Sie zählt die Geldstücke in ihrem Portemonnaie. Vier Mark fünfundachtzig hat sie noch. Hundert Gramm Heringssalat kosten zwei Mark.
Im Laden ist es sehr kühl gegen die Hitze draußen. Eva wird schwindlig von dem Geruch nach Essen.
"Zweihundert Gramm Heringssalat mit Mayonnaise, bitte", sagt sie leise zu der Verkäuferin. Die steht gelangweilt hinter der Theke und kratzt sich am Ohr. Dann nimmt sie den Finger von ihrem Ohr und greift nach einem Plastikbecher. Sie füllt Heringsstücke und Gurkenscheiben hinein, dann noch einen Löffel Mayonnaise, und stellt den Becher auf die Waage. "Vier Mark", sagt sie gleichgültig.
Schnell legt Eva das Geld hin. Sie nimmt den Becher und verlässt den Laden.
Draußen ist es wieder heiß, die Sonne brennt vom Himmel. Wie kann es nur im Juni so warm sein, denkt Eva. Der Becher in ihrer Hand ist kalt. Sie geht schneller und rennt fast, bis sie den Park erreicht. Überall auf den Bänken sitzen Leute in der Sonne. Männer haben sich ihre Hemden ausgezogen, Frauen haben sich die Röcke bis über die Knie hochgezogen. Eva geht an den Bänken vorbei. Schauen ihr die Leute nach? Reden sie über sie? Lachen sie darüber, dass ein junges Mädchen so fett sein kann?
Eva ist an dem Gebüsch hinter der Wiese angekommen. Sie drängt sich zwischen zwei Büschen hindurch. Die Zweige schlagen hinter ihr wieder zusammen.
Hier ist sie ungestört, hier kann sie keiner sehen. Sie stellt ihre Schultasche ab und setzt sich auf den Boden.

Das Gras kitzelt an ihren nackten Beinen. Sie hebt den Deckel von dem Becher und legt ihn neben sich auf den Boden. Einen Moment schaut sie den Becher an, die rosagrauen Heringsstückchen in der fetten, weißen Mayonnaise. An einem Stück ist noch blausilberne Haut. Sie nimmt dieses Stück vorsichtig zwischen Daumen und Zeigefinger und steckt es in den Mund. Es ist kühl und säuerlich. Sie schiebt es mit der Zunge hin und her, bis sie auch die fette Mayonnaise schmeckt. Dann fängt sie an zu kauen und zu schlucken, greift wieder mit den Fingern in den Becher und stopft sich die Heringe in den Mund. Den letzten Rest Soße wischt sie mit dem Zeigefinger heraus. Als der Plastikbecher leer ist, wirft sie ihn ins Gebüsch und steht seufzend auf. Sie nimmt ihre Schultasche und streicht sich den Rock glatt. Sie fühlt sich traurig und müde.

Erst Mittagessen und was macht man dann?

Eva klingelt zweimal kurz. Das tut sie immer. Ihre Mutter dreht dann die Platte des Elektroherds an, auf dem das Mittagessen zum Aufwärmen steht. Wenn Eva nach Hause kommt, haben ihre Mutter und ihr Bruder schon gegessen. Berthold ist erst zehn, er geht noch in die Grundschule um die Ecke.
Diesmal ist das Essen noch nicht fertig. Es gibt nämlich Pfannkuchen mit Apfelmus, und Pfannkuchen macht ihre Mutter erst, wenn Eva da ist. "Knusprig müssen sie sein", sagt sie immer. "Aufgewärmt schmecken sie wie Waschlappen."
"Wo ist Berthold?", fragt Eva, als sie sich an den Tisch setzt. Irgendetwas muss man ja sagen.
"Schon längst im Schwimmbad. Er hatte hitzefrei."
"Bei uns gibt es das nie", sagt Eva. "Bei uns ist es ja angeblich so kühl in den Klassenzimmern."
Die Mutter hat die Pfanne auf die Herdplatte gestellt. Es zischt laut, als sie einen Löffel Teig in das heiße Fett gießt. "Was hast du heute für Pläne?", fragt sie und wendet den Pfannkuchen.
Eva nimmt sich Apfelmus in eine Glasschüssel und beginnt zu essen. Von dem Geruch des heißen Fetts wird ihr schlecht. "Ich mag heute keine Pfannkuchen, Mama", sagt sie.
Die Mutter schaut sie erstaunt an. "Wieso? Bist du krank?"
"Nein. Ich mag nur heute keine Pfannkuchen."
"Aber sonst isst du Pfannkuchen doch so gern."

"Ich habe nicht gesagt, dass ich Pfannkuchen nicht gern esse. Ich habe nur gesagt, ich mag heute keine."
"Das verstehe ich nicht. Wenn du sie doch sonst immer so gern isst ..."
"Heute nicht."
Die Mutter wird böse. "Ich stelle mich doch nicht bei dieser Hitze hin und koche und dann willst du nichts essen!" Klatsch! Der Pfannkuchen landet auf Evas Teller. "Dabei habe ich extra auf dich gewartet." Die Mutter gießt wieder Teig in die Pfanne. "Eigentlich wollte ich schon um zwei bei Tante Renate sein."
"Warum bist du nicht gegangen? Ich bin doch kein kleines Kind mehr."
Die Mutter wendet den nächsten Pfannkuchen. "Das sagst du so. Und wenn ich nicht aufpasse, isst du nicht richtig."
Eva bedeckt den Pfannkuchen mit Apfelmus. Da war auch schon der zweite. "Es ist genug, Mama", sagt Eva.
Die Mutter hat die Pfanne vom Herd genommen und zieht sich eine frische Bluse an. "Ich habe in der Stadt einen schönen karierten Stoff gefunden, ganz billig, sechs Mark achtzig der Meter. Renate hat versprochen, dass sie mir ein Sommerkleid macht."
"Warum machst du es nicht selber?", sagt Eva. "Wozu musst du immer noch zur Schmidhuber?"
"Sag nicht immer 'die Schmidhuber'. Sag 'Tante Renate'."
"Sie ist nicht meine Tante."
"Aber sie ist meine Freundin. Und sie hat dich gern. Sie hat schon viele schöne Sachen für dich gemacht."
Das stimmt. Sie näht immer wieder Kleider und Röcke für Eva. Und es ist nicht ihre Schuld, dass Eva in diesen Kleidern unmöglich aussieht. Eva sieht in allen Kleidern unmöglich aus.
"Was machst du heute Nachmittag?", fragt die Mutter.
"Ich weiß noch nicht. Hausaufgaben."

SONGS OF
LEONARD COHEN

"Du kannst doch nicht immer nur lernen, Kind. Du musst doch auch mal deinen Spaß haben. In deinem Alter war ich schon längst mit Jungen verabredet."
"Bitte, Mama!", sagt Eva.
"Ich meine es doch nur gut mit dir. Fünfzehn Jahre alt und sitzt immer nur zu Hause rum."
Eva stöhnt laut.
"Gut, gut. Ich weiß ja, dass du dir von mir nichts sagen lässt. Möchtest du vielleicht mal ins Kino gehen? Soll ich dir Geld geben?" Die Mutter öffnet ihr Portemonnaie und legt zwei Fünfmarkstücke auf den Tisch. "Das brauchst du mir nicht zurückzugeben. Ich schenke es dir."
"Danke, Mama."
"Ich gehe jetzt", sagt die Mutter. "Vor sechs komme ich nicht zurück."
Eva nickt. Aber ihre Mutter sieht es schon nicht mehr, die Wohnungstür fällt hinter ihr zu.
Eva atmet auf. Die Mutter und ihre Schmidhuber! Eva mag die Schmidhuber nicht. 'Tante Renate!' Eva vermeidet es, sie direkt anzureden. "Na, Eva, was macht die Schule? Hast du schon einen Freund?" Eva hasst solche Fragen. "Sie mag Kinder so gern", hat ihre Mutter gesagt. "Es ist ihr größter Kummer, dass sie selbst keine hat." Von dem Kummer merkt man aber nicht viel, hat Eva gedacht.
Sie geht in ihr Zimmer, schiebt eine Kassette von Leonard Cohen in den Kassettenrekorder und dreht den Lautsprecher auf volle Stärke. Das kann sie nur machen, wenn ihre Mutter nicht da ist. Sie wirft sich auf ihr Bett. Die tiefe, heisere Stimme erfüllt mit langsamen Liedern das Zimmer.
Sie öffnet die Nachttischschublade. Es stimmt, da ist noch eine Tafel Schokolade. Sie lässt sich wieder auf das Bett fallen und macht die Schokolade auf. Ein Glück, dass ihr Zimmer nach Osten geht. Die Schokolade ist

weich, aber nicht geschmolzen. Sie bricht ein Stück ab, teilt es noch einmal und schiebt sich die beiden Stücke in den Mund. Zartbitter! Zart-zärtlich, bitter-bitterlich. Zärtlich streicheln, bitterlich weinen. Eva steckt schnell noch ein Stück Schokolade in den Mund und legt sich hin. Sie zieht das rechte Knie an und legt den linken Unterschenkel darüber. Was für einen zierlichen Fuß sie hat im Vergleich zu ihren dicken Waden. Sie bewegt ihren Fuß hin und her und bewundert die Form der Zehennägel. Wie ein Halbmond, denkt sie.
Ihre Mutter hat breite Füße mit dicken Ballen, hässliche Füße. Eva ekelt sich vor ihnen, vor allem im Sommer, wenn die Mutter Sandalen trägt.
Wieder greift Eva nach der Schokolade. Leonard Cohen singt: "She was taking her body so brave and so free, if I am to remember, it's a fine memory." Automatisch übersetzt Eva: Sie trug ihren Körper so tapfer und frei, wenn ich mich erinnern soll: Es ist eine schöne Erinnerung.
Die Schokolade wird bitter in ihrem Mund. Nicht zartbitter, sondern unangenehm bitter. Eva schluckt sie schnell hinunter. Ich darf keine Schokolade essen. Ich bin schon jetzt viel zu fett. Eva nimmt sich vor, zum Abendessen nichts zu essen. Nur vielleicht einen kleinen Joghurt. Aber der bittere Geschmack in ihrem Mund bleibt. "She was taking her body so brave and so free." Sie, die Frau, von der Leonard Cohen singt, hat sicher einen schönen Körper, so wie Babsi, mit kleinen Brüsten und schmalen Beinen. Aber wieso nennt er sie dann tapfer? Man kann sich leicht zeigen, wenn man schön ist. Das hat nichts mit Tapferkeit zu tun.
"Du bist wirklich zu dick", hat ihre Mutter neulich wieder gesagt. "Wenn du so weitermachst, passt du bald nicht mehr in normale Größen."
Der Vater hat gelacht. "Lass nur", hat er gesagt, "es gibt Männer, die haben ganz gern was in der Hand."

Dazu hat er eine bestimmte Handbewegung gemacht.
Eva ist rot geworden und aufgestanden.
"Aber Fritz", hat die Mutter gesagt. "Sag doch nicht immer so etwas vor dem Kind."
Das "Kind" hat wütend die Tür hinter sich zugeschlagen.
Männer haben ganz gern was in der Hand, denkt Eva. Dieser Macho!
Sie macht den Kassettenrekorder aus. Im Zimmer ist es jetzt sehr still.
Eva schaut sich um. Was soll sie tun? Lesen? Nein. Aufgaben machen? Nein. Was bleibt da noch? Spazierengehen. Bei der Hitze? Vielleicht doch Schwimmen? Keine schlechte Idee bei diesem Wetter. Trotzdem kann sie sich nicht entscheiden. Einerseits ist das Wetter verlockend, aber andrerseits schämt sie sich im Badeanzug.
"Scheiße", sagt Eva laut ins Zimmer. Sie packt ihr Badezeug ein, verlässt die Wohnung und schlägt die Tür hinter sich zu. Türenschlagen, das tut sie gern. Das ist eigentlich das Einzige, was sie tut, wenn sie sauer ist. Was soll sie auch sonst tun? Schreien? Wenn man schon wie ein Elefant aussieht, soll man nichts tun, um aufzufallen. Im Gegenteil.

Ein Elefant, der Eva heißt, und Cola im Gartencafé

Als Eva aus dem Haus tritt, schlägt ihr die Hitze entgegen. Fast tut es ihr Leid, dass sie nicht in ihrem kühlen, ruhigen Zimmer geblieben ist. Sie nimmt den Weg durch den Park. Der ist zwar ein bisschen länger, aber unter den Bäumen ist die Hitze leichter zu ertragen.
Die Bänke sind ziemlich leer um diese Zeit. Eva kommt an den Büschen vorbei, hinter denen sie ihren Heringssalat gegessen hat. Sie betrachtet die Steine auf dem Weg. Sie sind gelblich-braun und auch ihre nackten Zehen sind schon von einer gelblich-braunen Staubschicht überzogen. Da stößt sie mit jemandem zusammen, stolpert und fällt hin.
"Hoppla", hört sie. "Hast du dir wehgetan?"
Sie hebt den Kopf. Vor ihr steht ein Junge, vielleicht so alt wie sie. Er hält ihr die Hand entgegen. Überrascht greift sie danach und lässt sich von ihm hochziehen. Dann bückt er sich und hält ihr das Handtuch mit dem Badeanzug hin, das auf den Boden gefallen ist. Sie rollt es wieder zusammen.
"Danke."
Ihr Knie blutet und brennt.
"Komm", sagt der Junge. "Wir gehen zum Brunnen. Da kannst du dir dein Knie abwaschen."
Eva schaut auf den Boden. Sie nickt. Der Junge lacht. "Los, komm schon." Er nimmt ihre Hand und sie humpelt neben ihm her zum Brunnenrand.
"Ich heiße Michel. Eigentlich Michael, aber alle sagen Michel zu mir. Und du?"

“Eva.” Sie schaut ihn von der Seite an. Er gefällt ihr.
“Eva.” Er dehnt das “e” ganz lang und lacht.
Sie ist verwirrt und das Lachen des Jungen macht sie böse. “Da gibt’s nichts zu lachen”, schimpft sie. “Ich weiß selbst, wie komisch das ist. Ein Elefant, der Eva heißt.”
“Du bist ja verrückt”, sagt Michel. “Ich habe dir doch nichts getan. Wenn es dir nicht passt, kann ich ja gehen.”
Aber er geht nicht.
Dann sitzt Eva auf dem Brunnenrand. Sie hat die Sandalen ausgezogen und stellt ihre nackten Füße ins Wasser. Michel steht im Brunnen, holt mit der hohlen Hand Wasser aus dem Brunnen und lässt es über ihr Knie laufen. Es brennt.
“Du solltest dir zu Hause ein Pflaster draufmachen”, sagt er.
Eva nickt.
Michel spaziert im Brunnen herum. Eva muss lachen. “Eigentlich wollte ich ja ins Schwimmbad”, sagt sie. “Aber der Brunnen ist auch nicht schlecht.”
“Und kostet nichts”, sagt Michel.
Eva stampft ins Wasser, dass es hoch aufspritzt. Dann sitzen beide wieder auf dem Brunnenrand.
“Wenn ich Geld hätte, würde ich dich zu einer Cola einladen”, sagt Michel. “Aber leider ...”
Eva holt ein Fünfmarkstück aus ihrer Rocktasche und hält es ihm hin. “Bitte, lad mich ein.” Sie wird rot.
Michel lacht wieder. Er hat ein schönes Lachen. “Du bist ein komisches Mädchen.” Er nimmt das Geld und ihre Hände berühren sich kurz.
“So, jetzt bin ich reich!”, ruft er. “Was wünscht die Dame? Cola oder Limo?”
Sie gehen nebeneinanderher zum anderen Ende des Parks, zum Gartencafé. Es ist das erste Mal, dass Eva mit einem Jungen geht. Außer mit ihrem Bruder natür-

lich. Sie schaut ihn von der Seite an.
“Eva ist doch ein schöner Name”, sagt Michel plötzlich. “Er klingt nur ein bisschen altmodisch. Aber er gefällt mir.”
Sie finden noch zwei freie Plätze an einem Tisch unter einer großen Platane. Es ist voll hier. Die Leute lachen und reden und trinken Bier. Die Cola ist eiskalt.
“Mir war es vorhin ziemlich langweilig”, sagt Michel. “Bevor ich dich getroffen habe.”
“Mir auch.”
“Wie alt bist du?”, fragt er.
“Fünfzehn. Und du?”
“Ich auch.”
“In welche Klasse gehst du?”, fragt Eva.
“In die Neunte. Ich bin bald fertig mit der Schule.”
“Ich gehe auch in die Neunte. Ins Gymnasium.”
“Ach so.”
Sie schweigen beide und trinken Cola. Wenn ich jetzt nichts sage, hält er mich für doof und langweilig, denkt Eva. Aber er sagt ja auch nichts.
“Was machst du, wenn du mit der Schule fertig bist?”, fragt sie.
“Ich? Ich werde Seemann. Natürlich nicht gleich, aber in ein paar Jahren bin ich ein Seemann, das sage ich dir. Ich habe einen Onkel in Hamburg, der sucht ein Schiff für mich. Wenn ich mein Zeugnis habe, geht es los.”
Eva ist enttäuscht. Dann ist er bald nicht mehr da. Blöde Gans, denkt sie und zwingt sich zu einem Lächeln. “Ich muss noch ein paar Jahre in die Schule gehen.”
“Für mich wäre das nichts, immer dieses Stillsitzen.”
“Mir macht es Spaß.”
Michel rülpst. Die Bedienung kommt vorbei. Michel winkt ihr und bezahlt. Eine Mark bekommt er zurück. Er nimmt sie und steckt sie ein. Eigentlich gehört sie mir, die Mark, denkt Eva.

Michel fragt: “Tut dir dein Knie noch weh?”
Eva schüttelt den Kopf. “Nein, aber ich will jetzt nach Hause.”
Sie gehen nebeneinanderher. Obwohl sie sich nicht berühren, achten sie darauf, dass ihre Schritte gleich lang sind.
“Gehen wir morgen zusammen ins Schwimmbad?”, fragt Michel.
Eva nickt. “Wann treffen wir uns?”
“Um drei am Brunnen. In Ordnung?”
Vor Evas Haus angekommen, geben sie sich die Hände. Das kommt Eva seltsam vor.
“Tschüs, Eva.”
“Auf Wiedersehen, Michel.”
Die Mutter und Berthold sind noch nicht da. Eva schaut auf die Uhr. Viertel nach fünf. In einer halben Stunde kommt ihr Vater nach Hause. Eva geht ins Badezimmer und dreht den Wasserhahn an. Sie lässt das kalte Wasser über Hände und Arme laufen und schaut in den kleinen Spiegel über dem Waschbecken. Sie hat rötliche Backen bekommen von der Sonne. Das sieht eigentlich ganz schön aus. Ihr Gesicht ist überhaupt nicht so schlecht und ihre Haare sind sogar sehr schön, dunkelblond und lockig. Sie greift mit beiden Händen nach dem Pferdeschwanz und öffnet die Spange. Das sieht toll aus, denkt Eva. So werde ich meine Haare tragen, wenn ich erst einmal schlank bin.
Entschlossen bindet sie sich wieder den Pferdeschwanz und befestigt ihn mit der Spange. Dann setzt sie sich an ihre Hausaufgaben. Aber es fällt ihr schwer, sich zu konzentrieren.
Sie hört, wie die Wohnungstür aufgeschlossen wird. Ihr Vater kommt nach Hause. Sie schaut sich schnell in ihrem Zimmer um und zieht ihre Bettdecke glatt. Ihr Vater hat es gern, wenn alles ordentlich aussieht. Außerdem weiß sie nie, wie er gelaunt ist, wenn er nach

Hause kommt. Er kann stundenlang über einen Pullover auf dem Fußboden reden, wenn er schlechte Laune hat. Oder über eine Schultasche im Flur. Evas Mutter läuft meist um fünf Uhr noch einmal durch die ganze Wohnung und schaut nach, ob auch nichts herumliegt. "Muss ja nicht sein, dass es Streit gibt", sagt sie. "Wenn man es vermeiden kann!"
Gerade als Eva überlegt, warum er ihr manchmal so auf die Nerven geht, öffnet er ihre Zimmertür.
"Guten Abend, Eva. Das ist aber schön, dass du so fleißig bist."
Der Vater tritt hinter sie und streichelt ihren Kopf. Eva beugt sich tief über ihr Englischbuch und ist froh, dass er ihr Gesicht nicht sehen kann. Am liebsten würde sie ihm in die Hand beißen.

Lachs im Kühlschrank und Eva weint

Eva macht die Nachttischlampe aus. Jetzt ist es fast ganz dunkel. Nur ein schwaches Licht dringt noch durch das geöffnete Fenster. Der Vorhang bewegt sich. Erleichtert spürt sie, dass es etwas kühler geworden ist. Sie zieht das Betttuch über sich, das ihr in heißen Nächten als Zudecke dient. Sie ist zufrieden mit sich selbst. Sie ist richtig stolz darauf, dass sie heute Abend nur diesen einen Joghurt gegessen hat. Wenn ich das zwei Wochen durchhalte, denkt sie, nehme ich bestimmt zehn Pfund ab.

Glücklich rollt sie sich auf die Seite und schiebt ihr Lieblingskissen unter den Kopf. Eigentlich brauche ich überhaupt nicht mehr so viel zu essen. Heute die Schokolade war absolut unnötig. Und wenn ich dann erst einmal schlank bin, kann ich ruhig abends wieder etwas essen. Vielleicht Toast mit Butter und ein paar Scheiben Lachs.

Das Wasser läuft ihr im Mund zusammen, wenn sie an die rötlichen, in Öl schwimmenden Scheiben denkt. Sie liebt den pikanten Geschmack von Lachs sehr. Und dazu warmer Toast, auf dem die Butter schmilzt! Eigentlich mag sie scharfe Sachen sowieso lieber als dieses süße Zeug. Man wird auch nicht so dick davon.

Nur ein einziges, kleines Stück Lachs ist doch nicht so schlimm, wenn ich morgen früh sowieso anfange, richtig zu fasten, denkt sie. Aber nein, sie ist stark. Wie oft hat sie sich schon vorgenommen, nichts zu essen, und immer ist sie schwach geworden. Aber diesmal nicht!

Diesmal ist es anders, denkt sie. Diesmal schaue ich zu, wie Berthold das Essen in sich hineinstopft, wie Mama ihre Suppe löffelt und Papa sich Schinkenscheiben auf das Brot legt. Diesmal macht es mir nichts aus. Diesmal bleibe ich nicht mehr vor dem Delikatessengeschäft stehen und drücke mir die Nase an der Scheibe platt. Diesmal gehe ich nicht hinein, kaufe für vier Mark Heringssalat und stopfe ihn mir heimlich im Park in den Mund. Diesmal nicht.

Und nach ein paar Wochen sagen die anderen in der Schule: Was für ein hübsches Mädchen die Eva ist, das ist uns früher gar nicht aufgefallen. Und Michel verliebt sich in mich, weil ich so gut aussehe. Bei diesem Gedanken wird Eva warm. Frei und glücklich fühlt sie sich.

Ein kleines Stück Lachs wäre jetzt schön. Eine ganz kleine Scheibe nur. Das kann doch nichts schaden, wenn ich sowieso bald ganz schlank bin.

Leise steht sie auf und geht in die Küche. Erst als sie die Tür hinter sich zugezogen hat, drückt sie auf den Lichtschalter. Dann öffnet sie den Kühlschrank und holt die Dose Lachs heraus. Drei Scheiben sind noch da. Sie nimmt eine zwischen Daumen und Zeigefinger und hält sie hoch. Zuerst läuft das Öl in einem feinen Strahl herunter. Dann tropft es nur noch. Immer langsamer. Noch ein Tropfen. Eva hält die dünne Scheibe gegen das Licht. Was für eine Farbe! Nur dieses eine Stück, denkt Eva. Sie öffnet den Mund und schiebt den Lachs hinein. Sie drückt ihn mit der Zunge gegen den Gaumen, fast zärtlich, und fängt an zu kauen. Dann schluckt sie ihn hinunter. Weg ist er. Ihr Mund ist sehr leer. Schnell schiebt sie auch noch die beiden anderen Scheiben Lachs hinein. Diesmal wartet sie nicht, bis das Öl abgetropft ist. Sie nimmt sich auch keine Zeit, auf den Geschmack zu achten, sie schluckt ihn hinunter.

In der durchsichtigen Plastikdose ist nun nur noch Öl. Eva nimmt zwei Scheiben Weißbrot und steckt sie in den Toaster. Aber es dauert ihr zu lange, bis das Brot fertig ist. Sie kann nicht länger warten, schiebt den Hebel an der Seite hoch und die beiden Scheiben springen heraus. Sie sind noch fast weiß, aber sie riechen warm und gut. Schnell schmiert Eva Butter darauf und schaut zu, wie die Butter anfängt zu schmelzen, erst am Rand, wo sie dünner geschmiert ist, dann auch in der Mitte. Im Kühlschrank liegt noch ein großes Stück Gorgonzola, der Lieblingskäse ihres Vaters. Sie nimmt sich nicht die Zeit, mit dem Messer ein Stück abzuschneiden, sie beißt einfach hinein, beißt in das Brot, beißt in den Käse, beißt, kaut, schluckt und beißt wieder. Was für ein wunderbarer, gut gefüllter Kühlschrank. Ein hartes Ei, zwei Tomaten, einige Scheiben Schinken und etwas Salami folgen auf Lachs, Toast und Käse. Eva kaut und kaut, sie ist nur Mund.

Dann wird ihr schlecht. Sie merkt plötzlich, dass sie in der Küche steht, dass das Licht brennt und die Kühlschranktür offen steht.

Sie weint. Die Tränen laufen über ihr Gesicht, während sie langsam den Kühlschrank zumacht, den Tisch abwischt, das Licht ausmacht und zurückgeht in ihr Bett.

Probleme mit der Schule und warum Eva in der Pause allein ist

Am nächsten Morgen wacht Eva mit brennenden Augen auf. Erst will sie zu Hause bleiben. Sie will im Bett liegen, nicht aufstehen und in die Schule gehen. Müde zieht sie das Betttuch über den Kopf.
Die Mutter kommt herein. "Aber Kind, es ist schon sieben. Steh doch endlich auf!" Und als Eva keine Antwort gibt: "Fehlt dir was? Bist du krank?"
Eva setzt sich auf. "Nein."
"Aber, Kind, hast du was? Was ist denn los?" Die Mutter kommt zu Eva und legt die Arme um sie. Einen Moment lang, einen winzigen Moment, lässt Eva sich in diese Arme fallen. Die Mutter riecht warm und gut, noch ohne Zahnpasta und Haarspray.
Doch dann reißt sich Eva wieder zusammen. "Ich habe schlecht geschlafen", sagt sie, "das ist alles."

In der Schule ist es wie immer, seit Franziska neu in die Klasse gekommen ist. Franziska, die immer noch neben Eva sitzt, nach vier Monaten immer noch.
Eva hat lange allein gesessen, fast zwei Jahre lang. In der letzten Bank am Fenster. Seit Karola nicht mehr ihre Freundin ist. Und dann ist vor vier Monaten Franziska gekommen. Sie hat in der Tür gestanden, langhaarig und schmal. "Ja, ich komme aus Frankfurt. Wir sind umgezogen, weil mein Vater hier eine Stelle in einem Krankenhaus bekommen hat."
Und Herr Hochstein hat gesagt: "Setz dich neben Eva."
Franziska hat Eva die Hand gegeben, eine kleine Hand,

kleiner als Bertholds, und sich gesetzt. Und da sitzt sie immer noch. Und immer noch gibt sie Eva morgens zur Begrüßung die Hand.
"Ist was passiert?", fragt sie.
"Nein. Wieso?"
"Weil du so aussiehst."
"Nein", sagt Eva, "ich habe Kopfweh."
"Und warum bist du dann nicht zu Hause geblieben?"
Eva antwortet nicht. Sie packt ihre Bücher aus. Sie hasst diesen Raum. Sie hasst diese Schule. Mehr als vier Jahre liegen hinter ihr, mehr als vier Jahre vor ihr! Sie kann sich das nicht vorstellen. Erste Stunde Herr Hochstein, Mathe. Zweite Stunde Frau Peters, Deutsch. Dritte Stunde Frau Wittrock, Biologie. Vierte Stunde Herr Kleiner, Englisch. Fünfte Stunde Herr Hauser, Kunsterziehung. Sechste Stunde Frau Wendel, Französisch.
Eine Ex in Englisch. Eva hat gestern noch gelernt. Aber Karola, in der Bank vor ihr, stöhnt. "Und das bei diesem Wetter. Gestern war ich bis sieben im Schwimmbad."
Diese Gans, denkt Eva. Immer beklagt sie sich, aber nie tut sie was. Sie ist selbst schuld.
"Franziska, gibst du mir einen Spickzettel?", bittet Karola flüsternd. Franziska, die eine englische Mutter hat und besser Englisch spricht als Herr Kleiner, nickt.
Eva beginnt zu schreiben. Franziska schiebt ihr einen Zettel hin. "Für Karola", sagt sie leise. Eva schiebt den Zettel zurück.
"Sei doch nicht so! Gib weiter!"
Eva schüttelt den Kopf. Sie schaut nicht auf, bewegt den Kopf nur ganz wenig. Dabei möchte sie am liebsten laut schreien: Sie geht schwimmen! Sie geht auf Parties! Sie geht tanzen und erlebt immer etwas! Warum soll sie auch noch gute Noten haben?
Franziska hat nur das winzige Kopfschütteln gesehen. Sie beugt sich vor und lässt den Zettel über Karolas

Schulter fallen.
Herr Kleiner ist mit ein paar Schritten da. Er nimmt Franziskas Blatt und legt es auf seinen Tisch. Mit seinem roten Filzschreiber zieht er quer über das Geschriebene einen dicken Strich.
Niemand sagt ein Wort. Franziskas Gesicht ist weiß.
Sie ist selbst schuld, denkt Eva. Niemand hat sie gezwungen, das zu tun. Und dann denkt sie noch: Karola ist auch schuld. Warum tut sie nie etwas und will hinterher, dass andere ihr helfen?
In der Pause geht Franziska nicht neben Eva her.

Mit Michel am Fluss und warum Eva Angst hat

Eva ist um drei am Brunnen. Sie hat den dunkelblauen engen Rock angezogen - dunkle Farben machen schlank - und die dunkelblaue Bluse, die ihr die Schmidhuber zum Sommer genäht hat.
Michel ist noch nicht da. Eva fährt mit der flachen Hand über den Brunnenrand. Staub fliegt auf. Sie ärgert sich über die grauen Wolken auf ihrem Rock und versucht, sie wegzuwischen. Aber sie reibt den hellen Staub erst recht in das dunkelblaue Leinen. Die Steine sind heiß. Die Sonne ist viel zu heiß. Eva setzt sich unter einen Baum.
Sicher kommt er nicht, denkt sie. Warum sollte er auch kommen? Er kann ganz andere Mädchen haben, schlanke, schöne. Sie pflückt ein Gänseblümchen und dreht es langsam zwischen Daumen und Zeigefinger hin und her.
Warum warte ich? Ich weiß doch, dass er nicht kommt.
Sie zupft dem kleinen Gänseblümchen ein Blütenblatt aus: Er liebt mich, ein zweites: von Herzen, ein drittes: mit Schmerzen, ein viertes: ein wenig, ein fünftes: nein gar nicht. Es ist nicht leicht, dem kleinen Gänseblümchen die noch kleineren Blütenblätter wirklich einzeln auszureißen. Als Eva schon mehr als die Hälfte ausgerissen hat, er liebt mich, von Herzen, mit Schmerzen, ein wenig, nein, gar nicht, versucht sie, mit den Augen die weißen Blättchen abzuzählen. Wie wird es enden? Das Gänseblümchen sieht sehr nackt aus, sehr zerrupft. Wütend wirft Eva es ins Gras.

Wie lange sitzt sie schon da? Sie hat keine Uhr. Die Wiese ist hart und trocken.
"Hallo, Eva."
"Hallo, Michel."
"Ich komme zu spät."
"Ja."
Michel lacht. "Ich dachte, du kommst sowieso nicht."
"Wieso sollte ich nicht kommen?"
"Ich weiß nicht. Halt so."
Er trägt dasselbe Hemd wie gestern, schwarz, die Enden zusammengeknotet. Man sieht ein Stück von seinem braunen Bauch. Er setzt sich neben sie. "Wo hast du dein Schwimmzeug?"
"Ich mag nicht ins Schwimmbad gehen."
"Das ist gut. Ich habe nämlich immer noch kein Geld."
Er sieht verärgert aus, böse.
"Ist was?", fragt sie.
"Was soll sein?" Er zieht Grashalme aus, reißt sie in kleine Stückchen. Er hält den Kopf gesenkt. Seine langen Haare fallen nach vorn, verdecken sein Gesicht. Eva sieht nur noch seine Nasenspitze. Sie weiß nicht, was sie sagen soll. Etwas Leichtes, Lustiges. Aber sie bekommt kein Wort heraus. Die Wörter bleiben ihr im Hals stecken, sie atmet schwer. Es ist so still. Warum sagt er nichts? Warum sagt sie nichts? Ist es das, worauf sie gewartet hat?
Plötzlich springt Michel auf. "Komm, wir gehen zum Fluss. Wir nehmen die Straßenbahn, dann geht's ganz schnell."
Endhaltestelle der Linie sieben. Sie sind schwarzgefahren, Michel hat kein Geld. Er wollte auch nicht, dass Eva eine Karte kauft. "Schade um das schöne Geld. Dafür kriegen wir eine Cola."
Sie laufen durch die Siedlung am Stadtrand. Ein Haus sieht wie das andere aus, lange Reihen gleicher Häuser, gleicher Gärten. "Wenn da einer blau nach Hause

kommt, findet er seine eigene Tür nicht mehr und landet bei der Nachbarin im Schlafzimmer", sagt Michel und lacht.
Eva, unsicher, lacht mit.
Zum Ufer hinunter geht Michel voraus. Er hilft Eva, die mit ihren glatten Sandalen rutscht und sich nicht richtig bewegen kann in ihrem engen, blauen Rock. Dann sind sie endlich unten am Fluss. Eigentlich ist es nur ein kleiner, flacher Seitenarm. Stark riechende Holunderbüsche, Unkraut. Eva, atemlos vor Anstrengung, keucht laut. Wie ein Pferd, denkt sie. Ich keuche wie ein Pferd.
Michel schaut sie vorsichtig an. "Gefällt es dir hier?"
Ob es mir hier gefällt? Im Unkraut? Zwischen den Büschen?
"Holunder", sagt sie. "Ich mag Holunder sehr."
"Ich habe früher mal in dieser Gegend gewohnt", sagt Michel. "Mein Bruder und ich sind hier manchmal mit einem Mädchen hergekommen." Er wird rot. "Zum Doktorspielen."
Michel zieht seine Turnschuhe aus und rollt die Jeans hoch. "Komm", sagt er. "Gehen wir ein bisschen ins Wasser. Es ist nicht tief."
Eva bückt sich. Ihr Rock ist ganz schön schmutzig. Warum sind sie nicht ins Gartencafé gegangen? Sie hat ja Geld. Oder wirklich an den Fluss, an den richtigen Fluss, zur Promenade?
Das Wasser ist kalt und gar nicht so schmutzig.
"Zieh doch deinen Rock aus, dann kannst du besser laufen", sagt Michel. Eva schüttelt heftig den Kopf, zieht den Rock ein bisschen höher.
"Hier ist doch niemand", ruft Michel. Er steht am Rand des Wassers, zieht seine Jeans und das Hemd aus. Er trägt eine Badehose darunter, schwarz wie sein Hemd.
Niemand? Hier ist niemand?, denkt Eva. Glaubt er wirklich, ich laufe hier in der Unterhose herum? Wenn er dabei ist? Wenn ich wenigstens die schwarze anhätte.

Aber die weiße mit den rosa Blümchen? Unmöglich!
Michel sitzt am Rand und macht mit den Händen ein Loch in den Sand. "So haben wir das früher immer gemacht. Schau! Das wird der Ozean." Mit dem Finger zieht er einen Strich vom Wasserrand zum Loch. "Und das ist ein Fluss. Der füllt jetzt das Meer."
Eva häuft Erde ans Ufer. "Und das ist ein Berg." Sie pflückt Gräser und Zweige und steckt sie in den Berg. "Bäume."
Michel lacht. Er beginnt, mit flachen Kieselsteinen einen Weg zu bauen, einen Weg den Berg hinauf. "Und oben, ganz oben, steht ein Haus. Dort wohnen wir und abends können wir den Mond über dem Meer sehen. Warst du schon mal am Meer?"
"Ja", antwortet Eva. "Wir waren vor zwei Jahren in Italien."
"Ich war schon dreimal in den großen Ferien bei meinem Onkel in Hamburg."
Sie schweigen beide. Michel baut das Steinhaus.
Wie Dampfnudeln sehen meine Knie aus, denkt Eva. Michel hat schöne Beine. Richtig schöne, braune Beine.
Michel sagt: "Komm ein bisschen in den Schatten."
Hinter Holunderbüschen, unter dem beißenden Geruch, breitet er sein Hemd auf dem Boden aus, die rechte Seite nach oben. "Hier."
Sie liegen nebeneinander. Eva liegt gern auf dem Rücken. Sie kann dann ihre Beckenknochen fühlen. Im Liegen ist fast kein Fett darüber, die Haut spannt sich weich über den Knochen. Und ihr Bauch ist flach, wenn sie auf dem Rücken liegt.
Michel kommt näher. Er legt seine Hand auf ihre Brust.
"Nein", sagt Eva laut.
"Mach doch nicht so ein Theater." Michels Stimme klingt anders als vorher.
"Nein", sagt Eva noch einmal. Sie setzt sich und zerrt ihren Rock über die Knie.

“Blöde Kuh”, sagt Michel, springt auf und läuft zum Wasser. Er lässt sich ganz hineinfallen, taucht unter. Nach einer Weile kommt er heraus.
“Ich will gehen”, sagt Eva. Sie klopft an ihrem Rock herum.
Michel zieht sich, nass wie er ist, seine Jeans an, schüttelt sein Hemd aus und bindet es sich um den Bauch. Den Hügel hinauf gehen sie ganz langsam. Michel zieht Eva hinter sich her. Oben angekommen, sagt er: “Das mit der blöden Kuh habe ich nicht so gemeint.”
“Ist schon gut.”
Sie gehen nebeneinanderher.
“Hast du schon mal einen Freund gehabt?”
“Nein.”
“Ach so.”
“Und du, hast du schon eine Freundin gehabt?”
“Ja. Ich kenne viele Mädchen. Aber keines wie dich.”
“Wie sind die Mädchen, die du kennst?”
Michel zuckt mit den Schultern. “Ich weiß nicht, einfach anders als du”, sagt er unbestimmt.
Etwas später halten sie sich an den Händen beim Gehen. Sie schauen sich an und lachen. Sie sind schon längst an der Endhaltestelle der Linie sieben vorbei.
“Komm, rennen wir ein bisschen”, sagt Michel.
“Ich kann nicht gut rennen”, antwortet Eva.
“Du musst ein bisschen abnehmen, dann kannst du auch besser rennen.”
Eva zuckt zusammen, lässt aber ihre Hand in seiner.
“Ich habe vier Brüder und drei Schwestern”, sagt Michel.
“Das sind ja acht Kinder! Um Gottes willen!”
“Das sagt jeder”, sagt Michel. “Ist das ein Verbrechen?”
“Nein, so nicht. Aber es ist selten, dass eine Familie so viele Kinder hat. Wir sind zwei, mein kleiner Bruder und ich.”

“So schlimm sind acht Kinder nun auch wieder nicht. Da, wo ich wohne, haben die meisten Leute mehrere Kinder. Es gibt sogar eine Familie, die hat zwölf. Bei uns sind nur noch sechs zu Hause. Eine Schwester ist verheiratet und ein Bruder ist bei der Bundeswehr. Es ist also nicht so schlimm. Nur Geld haben wir nicht viel. Also Taschengeld habe ich noch nie bekommen.”
“Ist das nicht schlimm für dich?”
“Doch, natürlich. Aber ich trage jeden Donnerstag eine Zeitung aus, die Arbeit habe ich von meinem Bruder. Nicht von dem bei der Bundeswehr, von Frank. Dafür kriege ich immer zwanzig Mark. Morgen habe ich wieder Geld. Gehst du am Samstag mit mir ins Kino?”
“Ja, gern.”
“Morgen kann ich nicht weg, wegen der Zeitung. Hast du am Freitag Zeit?”
Eva schüttelt den Kopf. “Freitags habe ich Klavierstunde. Außerdem muss ich zu Hause helfen, beim Putzen.”
Michel lacht. “Bei uns wird auch freitags geputzt. Und samstags ist es schon wieder schmutzig.”
Drei Haltestellen laufen sie, dann steigen sie in die Straßenbahn. Diesmal mit Fahrschein. Es ist spät geworden. Eva denkt an den Ärger, den sie zu Hause bekommen wird. Unruhig rutscht sie hin und her.
“Musst du pinkeln?”, fragt Michel.
Eva schaut sich erschrocken um. “Nein”, flüstert sie. “Aber es ist schon gleich halb acht. Ich kriege Ärger zu Hause.”
“Mit fünfzehn noch? Meine Schwester hat mit sechzehn geheiratet.”
“Du kennst meinen Vater nicht”, sagt Eva.
“Sie hat ein Kind bekommen”, sagt Michel.

Ärger zu Hause, Tränen in der Schule und ein Gespräch in der Nacht

Eva öffnet die Wohnungstür.
"Eva?", ruft die Mutter aus der Küche.
"Ja."
Die Mutter kommt heraus und trocknet sich die Hände an der Schürze ab. "Da bist du ja endlich. Wo warst du nur so lange? Wir haben schon gegessen. Der Papa ist böse. Du weißt doch, dass wir alle um sieben da sein sollen."
"Damit er was zum Kommandieren hat."
"Sei nicht frech."
Eva zuckt mit den Schultern. Sie will nichts hören. Sie will nichts sehen. Nicht die Mutter in der hellblauen Schürze, mit den Wasserflecken darauf. Die Mutter, die sie mit großen Augen anschaut. Michels Schwester hat mit sechzehn geheiratet.
"Ich bin kein kleines Kind mehr", sagt Eva.
Das sagt sie auch zu ihrem Vater, der schon vor dem Fernsehapparat sitzt, die Füße auf einem Stuhl.
"Ich bin kein kleines Kind mehr", sagt sie.
Der Vater schaut sie misstrauisch an. "Wo warst du denn?"
"Spazieren am Fluss."
"Allein?"
Eva zögert. "Mit einer Freundin", sagt sie.
"Das nächste Mal bist du um sieben zurück, verstanden?"
Eva beißt in einen Apfel. "Ja", sagt sie verärgert. "Andere aus meiner Klasse dürfen nach Hause kom-

men, wann sie wollen."
"Das kann schon sein. Aber bei uns ist das anders. Ich will nicht, dass du dich abends noch draußen rumtreibst. Solange du hier mit uns im Haus wohnst, tust du das, was ich sage."
Eva beißt wieder in den Apfel und geht in ihr Zimmer. Sie kann lange nicht einschlafen an diesem Abend. Es ist sehr schwül.

Am nächsten Morgen in der Pause sagt Eva zu Franziska: "Das tut mir Leid, das mit der Englisch-Ex gestern."
"Nicht so schlimm, meine Note kann es nicht kaputt machen."
"Ich habe es nicht wegen dir getan."
"Ich weiß."
"Was weißt du?"
"Dass Karola früher deine Freundin war. Sie hat gesagt, du bist immer noch eifersüchtig."
Eva tun die Finger weh, so fest hält sie ihr Buch. "So toll ist sie nicht, dass ich ihr so lange nachweine", sagt sie.
Sie schlägt ihr Buch auf und fängt an zu lesen. Franziska bleibt neben ihr auf dem Boden sitzen. "Warst du sehr sauer damals?"
War sie sauer? Nein, nicht sauer. Sauer ist nicht das richtige Wort. Enttäuscht war sie, verletzt, traurig. Es hatte sehr weh getan.
Aber das geht niemanden was an, am wenigsten Franziska. Eva merkt, wie ihr die Tränen in die Augen steigen. Sie senkt den Kopf. Doch Franziska hat es schon gesehen. Sie legt ihr den Arm um die Schulter. Am liebsten würde Eva den Arm abschütteln, aber sie hat nicht den Mut dazu. So sitzen sie, bis es klingelt.
An diesem Mittag isst Eva Krabbensalat im Park.

Abends, im Bett, denkt Eva wieder daran, wie Franziska ihr den Arm um die Schulter gelegt hat. Sie denkt auch an Michel, der seine Hand auf ihre Brust gelegt hat. Und sie denkt an Karola. Da muss sie wieder weinen. Sie drückt ihren Kopf in das Kissen.
Ich leide, denkt sie. So ist leiden. Dabei sollte ich eigentlich froh sein. Ich habe Michel kennen gelernt und Franziska sitzt neben mir. Warum leide ich? Das mit Karola, das ist doch schon so lange her. Warum kann ich es nicht vergessen?
Sie schläft ein.
Als sie aufwacht, ist es noch dunkel. Sie macht die Nachttischlampe an. Sie ist nass geschwitzt. Es ist immer noch sehr heiß. Natürlich, sie hat vergessen, das Fenster aufzumachen. Deshalb ist die Luft auch so schlecht. Vorsichtig öffnet sie das Fenster. Die Luft ist mild und die Sterne stehen sehr hoch am Himmel. Hinter den Dächern wird das Grau schon heller. Was für ein Sommer, denkt Eva.
Sie ist sehr hungrig. Leise geht sie in die Küche. Gerade als sie sich bequem hingesetzt hat und einen Joghurt isst, geht hinter ihr die Küchentür auf. Ihre Mutter. Sie sieht verschlafen aus und blinzelt in das helle Licht.
“Ich habe dich gehört”, sagt sie. “Ich kann auch nicht schlafen. Willst du eine Tasse Tee?”
Eva nickt. Die Mutter lässt den Wasserkessel voll laufen und stellt ihn auf die Herdplatte. “Hast du Hunger? Soll ich dir ein Spiegelei machen?”
“Ja, bitte.”
Die Mutter arbeitet schnell. Wie anders sie nachts aussieht, denkt Eva. So gefällt sie mir eigentlich viel besser.
Dann steht der Teller mit dem Spiegelei vor ihr, weiß mit gelbem Dotter. Die Mutter gibt noch etwas Paprika darüber. “Fürs Auge, das Auge isst mit.” Und um den knusprigen Rand herum fließt die braune Butter.
Eva fängt an zu essen. Die Mutter stellt noch die Tee-

kanne und zwei Tassen auf den Tisch. Über die Gabel mit dem Ei hinweg lächelt Eva sie an. Die Mutter lächelt zurück. In diesem Moment geht die Tür auf. Eva dreht sich um. Ihr Vater steht da, mit wirren Haaren. Die Schlafanzugjacke ist nicht ganz zugeknöpft, man kann seine behaarte Brust sehen. Eva dreht ihm schnell wieder den Rücken zu.
"Was macht ihr denn da?", fragt er.
"Wir können nicht schlafen."
"Ist gut", murmelt der Vater. "Aber komm bald wieder ins Bett." Die Tür geht zu.
Eva wartet eine Weile. Dann sagt sie: "Ich war mit einem Jungen am Fluss."
"Das habe ich mir gedacht, weil du noch nie so lange weg warst. Ist es ein netter Junge?"
"Ja, er ist sehr nett."
"Der Papa meint, ich soll mit dir reden. Dass du aufpasst."
"Du brauchst mich nicht aufzuklären", sagt Eva. "Ich weiß längst alles."
Die Mutter wird rot. "So habe ich das nicht gemeint. Aber die Jungen sind manchmal so aufdringlich ..."
"Mama, hör auf. Ich weiß, was ich tue."
Die Mutter seufzt. "Ich habe ja auch zum Papa gesagt, jeder muss seine Erfahrungen selbst machen. Ich habe auch nicht auf meine Mutter gehört, damals, habe ich gesagt."
Eva lacht. "Ich glaube, du bist müde. Du fängst an zu reden wie die Oma."
"Lach mich nicht aus. Ich habe mir das Leben ganz anders vorgestellt, wirklich." Die Mutter sieht traurig aus.
"Warum arbeitest du nicht?", sagt Eva. "Damit du mal aus dem Haus kommst. Und nicht nur zur Schmidhuber."
"Und der Haushalt? Du weißt doch, wie dein Vater ist."

“Papa ist nur so, weil du nicht protestierst.”
Die Mutter antwortet nicht. Als die Tassen leer sind, räumt sie den Tisch ab. Eva steht auf. Die Mutter legt den Arm um sie. “Gute Nacht, mein Mädchen, schlaf gut!”
Eva drückt sich an sie. Die Mutter streichelt ihr über den Rücken und die Haare.
“Gute Nacht, Mama.”

Ein schöner Samstag und ein böser Traum

Eva steht im Badezimmer vor dem Spiegel. Zum Glück gibt es in der ganzen Wohnung keinen großen Spiegel außer dem im Schlafzimmer der Eltern, innen auf der Schranktür. Eva geht ganz nah an den Spiegel, so nah, dass sie mit ihrer Nase das Glas berührt. Sie schaut sich in die Augen. Graugrün. Ihr wird schwindlig. Sie tritt einen Schritt zurück und sieht wieder ihr Gesicht über den Zahnbürsten, rot, blau, grün und gelb. Der Lippenstift ihrer Mutter liegt da. Eva nimmt ihn und malt ein großes Herz um dieses Gesicht im Spiegel. Sie lacht und beugt sich vor. "Du bist gar nicht so übel", sagt sie. Das Gesicht im Spiegel lächelt. "Du bist Eva", sagt sie. Das Gesicht im Spiegel spitzt die Lippen zum Kuss. Die Nase ist ein bisschen zu lang. Eva öffnet ihren Pferdeschwanz und lässt die Haare auf die Schultern fallen. Lange Haare, lockig, fast kraus. Sie zieht sich mit dem Kamm einen Mittelscheitel, kämmt die Haare nach vorn. Schön. Ob es Michel gefällt? Eva schiebt die Lippen vor, senkt die Augen. Wie ein Vamp sieht sie aus. Sie schminkt sich langsam und vorsichtig.
Es klopft an der Tür. "Wer ist drin?" Das ist Berthold.
"Ich."
"Mach schnell, ich muss dringend."
Eva greift nach der Klopapierrolle, reißt einige Blätter ab und wischt das Herz weg. Dann erst öffnet sie die Tür.
"Wie siehst du denn aus?", fragt Berthold.
Eva fällt zum ersten Mal auf, dass er wie ihr Vater

spricht.
“Gefällt es dir nicht?”
“Nein. Du siehst aus wie ein Zirkuspferd.”
Eva lacht. “Mir gefällt es. Mir gefällt es sogar sehr gut.”
“Warte nur, bis Papa dich so sieht.”
Aber der Vater sieht sie nicht. Er schläft noch, hält sein Samstagnachmittag-Schläfchen. Es dauert meist bis zur Sportschau.
“Gefalle ich dir, Mama?”
Die Mutter zögert. “Du siehst so anders aus”, sagt sie. “Ein bisschen wild.”
Eva nimmt ihren blauen Regenmantel. Sie ist froh über das Wetter. Im Mantel sieht sie nicht so dick aus.
“Tschüs, Mama.”
“Viel Spaß, Kind. Und vergiss nicht, um zehn Uhr. Du hast es versprochen.”
“Ja, ja”, sagt Eva und zieht leise die Tür hinter sich zu.

Michel hat sie erstaunt angesehen. “Du siehst gut aus.”
Jetzt sitzen sie in einem Café und trinken Cola. Eva mag Cola eigentlich gar nicht so gern. Michel hat es bestellt, ohne sie zu fragen.
“Normalerweise bin ich samstags immer im Freizeitheim”, sagt er. Er trägt ein weißes Hemd, fast bis zum Bauch offen, und eine dunkelblaue Cordjacke. Richtig ordentlich sieht er aus.
“Was macht ihr da, im Freizeitheim?”
“Alles Mögliche. Samstags tanzen wir oft. Ein paar von den Jungen machen eine irre Musik.” Michel sieht ganz stolz aus.
“Einer von ihnen ist mein Freund. Er spielt Gitarre.”
“Grüß dich, Eva”, sagt jemand. Eva sieht auf. Vor ihr steht Tine.
“Grüß dich”, sagt Eva.
Tine schaut Michel neugierig an. Sie bleibt einfach stehen und schaut Michel an. Der Junge neben ihr ist

dünn, mit langen Haaren. Er legt den Arm um sie und will sie weiterziehen. "Komm endlich."
Tine hört nicht auf ihn. Sie fragt: "Ist das dein Freund?" Aber sie schaut Eva nicht an dabei.
"Wenn du nichts dagegen hast", antwortet Michel.
Der Langhaarige zieht Tine weiter.
"Wie die dich angesehen hat", sagt Eva.
"Wer war das?"
"Ein Mädchen aus meiner Klasse."
"Schämst du dich nicht mit mir?", fragt Michel.
Eva ist überrascht. "Warum denn?"
"Na ja, weil ich ja nur in die Hauptschule gehe, ich bin ja nichts Besonderes."
Nichts Besonderes, denkt Eva. Die Hauptschule sieht man nicht, aber meinen dicken Hintern sieht jeder.
Laut sagt sie: "Das ist doch egal, in welche Schule du gehst."
"Das sagst du so", antwortet Michel. "Ich bin noch nie mit einem Mädchen gegangen, das im Gymnasium ist. Ein bisschen komisch ist das schon."
"Ist denn an mir was anders?"
"Viel."
"Was denn?"
"Ich weiß nicht. Viel halt."
Eva hätte gern gefragt, was er meint. Sie hätte gern gewusst, was er mit den anderen Mädchen getan hat. Ist er mit ihnen "am Fluss" gewesen? Aber sie fragt nicht, sie hat Angst vor seiner Antwort. Wieder ist es still zwischen ihnen. Und wieder denkt Eva: So ist das also. Man weiß nicht, was man sagen soll, wenn man eigentlich so viel sagen möchte.
Sie bestellt sich noch eine Cola.
Später, im Kino, nimmt Michel Evas Hand. Seine Hand ist ein bisschen rau und ein bisschen mager.
Der Cowboy reitet durch die Prärie, mitten hinein in einen Sonnenuntergang. Und Michel streichelt Evas

Hand. Eva hält ganz still. Sie hält so still, dass sie fast nicht atmen kann.

Genau um zehn schließt Eva die Wohnungstür auf. "Bist du das, Eva?", ruft die Mutter aus dem Wohnzimmer.
"Ja, ich."
Eva geht ins Badezimmer und schließt hinter sich ab. Sie stützt sich mit den Händen auf das Becken und schaut in den Spiegel. Von dem Lippenstift ist nicht mehr viel da. Sie sieht aus wie immer. Und sie wundert sich, dass er keine Spuren in ihrem Gesicht hinterlassen hat. Er, Michel.
Sie nimmt die Zahnbürste in die Hand, drückt Zahnpasta darauf, zögert und spült die Zahnpasta wieder ab. Heute nicht. Sie will die Erinnerung nicht wegwaschen.
Dann bindet sie sich die Haare wieder zusammen und geht ins Bett. Die Mutter öffnet die Tür und fragt neugierig: "Na?"
"Schön war's", sagt Eva. "Aber ich bin jetzt müde. Ich will schlafen."

Eva steigt die Treppe hinauf, unendlich viele Stufen.
Oben steht Michel und schaut zu ihr herunter. Oder ist es Karola? Karolas Körper mit Michels Gesicht? Als Eva näher kommt, zerfällt Karola-Michel. Eva schließt die Augen. Auf Händen und Füßen kriecht sie die Treppe hinauf. Endlich macht sie die Augen wieder auf. Dort oben steht Michel. Noch weiter oben. Er hat ihr den Rücken zugedreht. "Michel", ruft sie. "Michel!" Er dreht sich um. "Komm nicht!", sagt er mit einer ganz fremden Stimme. "Komm nicht, oder ich bring dich um." Jetzt erst sieht Eva, dass er ein Messer in der Hand hält. Die Klinge blitzt. Eva schreit, dreht sich um und will die Treppe hinunterlaufen. Aber vor ihr ist nur ein Loch. Das gibt es doch nicht, denkt Eva. Eine

Treppe kann doch nicht plötzlich weg sein. Und dann fällt sie in das Loch. Sie will schreien, aber sie bekommt keine Luft. Das Blut klopft ihr in den Ohren. Gleich schlage ich auf der Erde auf, denkt sie, gleich, jetzt - und in diesem Moment wacht sie auf und merkt, dass sie in ihrem Bett liegt. Vor Erleichterung fängt sie an zu weinen.
Im Kühlschrank ist noch eine Schüssel Pudding. Schokoladenpudding.

Warum es in der Disko toll ist und danach nicht

Eva und Michel sitzen in der Milchbar. Es regnet. Eva trägt die Haare wieder offen. Michel hält ihre Hand und sie schauen sich über den Tisch hinweg an.
"Können wir nicht nachher in eine Disko gehen?"
"Warum?", fragt Michel. "Ich bin lieber allein mit dir. Können wir nicht zu dir nach Hause?"
"Nein", sagt Eva. "Du kennst meinen Vater nicht."
"Schade."
"Ich möchte so gern mal in eine Disko. Ich war noch nie."
Michel zuckt mit den Schultern. "Von mir aus. Aber es ist sehr laut dort. Und teuer."
"Ich habe noch Geld."
"Gut, dann gehen wir in die Disko am Josephsplatz."
Eva zögert. "Ich habe noch nie getanzt. Außer Walzer mit meinem Vater."
Michel lacht.
In der Disko ist es sehr voll. Eva möchte am liebsten wieder hinausgehen, als sie all die schönen, schlanken Mädchen sieht. Na ja, nicht alle sind so schlank. Ein paar Dicke sind auch dabei. Eine steht mit einer Limoflasche in der Hand mitten zwischen anderen Jungen und Mädchen und lacht. Eva sieht sie von der Seite an. Sie lacht wirklich, so als wäre sie wie die anderen. Und dabei ist sie dick. Nicht so dick, nicht ganz so dick wie Eva, aber immerhin! Und außerdem hat sie auch noch eine Brille!
Michel zieht Eva zu einem Tisch in der Ecke. Eva stellt

ihre Tasche hin und will sich setzen. “Nein”, sagt Michel. “Jetzt sind wir hier, jetzt tanzen wir auch.”
Er muss laut reden, damit sie ihn versteht, denn die Musik ist laut. Und auf der Tanzfläche ist es sehr voll. Michel zieht sie einfach hinter sich her, mitten zwischen die anderen. Und dann fängt er an, sich zu bewegen. Erst langsam, dann schneller.
Er kann tanzen, denkt Eva, und ihre Knie werden weich. Ihr wird schwindlig. Was hat ihr Vater gesagt? Nicht so, Eva, du darfst nicht an deine Beine denken. Hör auf die Musik und lass dich führen.
Aber hier gibt es niemanden, der sie führt.
Sie macht es wie Michel. Erst langsam die Hüften bewegen, dann von einem Fuß auf den anderen treten. Als müsste ich dringend pinkeln, denkt sie und lacht. Michel lacht auch. Er nimmt ihre Hände und schwingt sie mit der Musik hin und her, hin und her. Und dann vergisst Eva ihren Elefantenkörper und tanzt.
Irgendwann zieht Michel sie von der Tanzfläche. “Gib mir Geld”, sagt er. “Ich hole Cola.”
“Ich möchte lieber nur Wasser.”
Michel nickt. Eva setzt sich auf den Stuhl. Michel kommt mit zwei Gläsern zurück und setzt sich dicht neben sie. Er legt den Arm um sie. Ich bin verschwitzt, denkt Eva. Hoffentlich stinke ich nicht. Sie schiebt ihn weg.
“Mensch, Eva”, sagt Michel begeistert. “Du tanzt prima. Das hätte ich nicht gedacht. Kommst du am Samstag mit mir ins Freizeitheim? Wir haben ein Sommerfest.”
Eva nickt.
Das Kleid klebt an ihrem Körper. Und weil es schon ganz egal ist, steht sie auf und nimmt Michels Hand. “Ich will noch mal tanzen”, sagt sie. Er nickt. Es ist schon acht, als sie auf die Uhr schaut.
Sie schließt leise die Tür auf. Im Wohnzimmer läuft der

Fernseher. Ihr Vater kommt heraus. Er betrachtet sie von oben bis unten, macht zwei Schritte auf sie zu und gibt ihr eine Ohrfeige. Eva schaut ihn erschrocken an. Die Ohrfeige brennt auf ihrer Haut.
"Aber Fritz", sagt die Mutter böse. "Warum soll sie nicht mal länger wegbleiben? Sie ist doch schon fünfzehn."
"Ich will nicht, dass meine Tochter sich rumtreibt."
"Aber das heißt doch nicht rumtreiben, wenn sie mal bis neun wegbleibt. Wann soll sie denn ihre Jugend genießen, wenn nicht jetzt!"
"Sie hat gesagt, sie ist um sieben da", schreit der Vater. "So fängt es an. Schau doch, wie sie aussieht! Schicken wir sie deshalb auf die Schule, dass sie mit einem Bankert heimkommt?"
Eva geht wortlos in ihr Zimmer und knallt die Tür hinter sich zu. Sie lässt sich auf ihr Bett fallen, auf das weiße, sichere Bett, und weint. "Du Schwein", sagt sie laut. "Du gemeines Schwein. Nichts weißt du. Nur an so etwas kannst du denken."
Die Mutter kommt herein und setzt sich zu ihr auf den Bettrand. "Kind, er meint das nicht so, wirklich nicht. Er hat sich solche Sorgen gemacht um dich. Sogar bei der Polizei hat er schon angerufen, ob irgendwo ein Unfall gemeldet worden ist."
Eva weint laut. Der Vater soll es ruhig hören, dieses Schwein!
"Kind", sagt die Mutter. "Kind, Kind." Was anderes fällt ihr auch nicht ein.
Eva weint noch lauter.
"Du musst versuchen, ihn zu verstehen", sagt die Mutter.
Eva hebt böse den Kopf. "Immer soll ich ihn verstehen! Immer ich! Geh doch zu deinem Fritz! Geh nur, du verstehst ihn ja so gut."
Die Mutter sagt nichts mehr. Dann verlässt sie das Zim-

mer. Eva hört die Tür klappen. Sie drückt ihr Gesicht in das Kissen.
Weinen, nur noch weinen. Nichts versteht ihr Vater, gar nichts. Nie hat er was verstanden.
"Scheiße!"

Freiheit als Traum und Freiheit mit einem Stück Schokolade

Eva starrt aus dem Klassenfenster. Ihre Augen brennen. Sie steht auf und geht zum Lehrertisch. “Kann ich bitte an die frische Luft gehen, mir ist schlecht.”
Frau Wittrock nickt. “Natürlich, Eva.”
Eva geht wie auf Watte aus dem Klassenzimmer hinaus, die Treppe hinunter zum Klo. Sie beugt sich tief über die Kloschüssel und erbricht den Käse und die Sardinen, den Rest Nudelauflauf und die beiden Früchtejoghurt, die sie in der Nacht gegessen hat. Sie erbricht, bis nur noch gelbe, bittere Flüssigkeit kommt. Sie lehnt sich an die Wand und wischt sich die Schweißtropfen aus dem Gesicht. Und die Tränen.
Franziska führt sie zum Waschbecken und dreht den Wasserhahn auf. “Frau Wittrock hat gesagt, ich soll mit dir gehen.”
Eva hält ihr Gesicht unter das kalte Wasser und spült sich den Mund aus. Es geht ihr jetzt viel besser. “Ich muss was Falsches gegessen haben”, sagt sie. “Jetzt ist es vorbei.”
Dann sitzen sie unter einem Baum und trinken Tee, den Franziska aus dem Automaten geholt hat.
“Wie lange darfst du abends wegbleiben?”, fragt Eva.
“Kommt drauf an. Eigentlich so lange ich will.”
“Mein Vater hat mir gestern eine Ohrfeige gegeben, weil ich um neun nach Hause gekommen bin.”
“Neun ist doch nicht spät.”
“Ich hatte nicht gesagt, dass ich später komme.”
“Na ja”, sagt Franziska, “wenn ich später komme,

muss ich auch anrufen." Und dann fragt sie: "Schlägt dich dein Vater oft?"
"Nein", antwortet Eva. "Das letzte Mal hat er mir eine Ohrfeige gegeben, als ich gesagt habe, die Oma sei eine alte Hexe."
"Ist sie das?"
Eva schüttelt den Kopf. "Das nicht, nur dumm."
"Meine Eltern haben mich nie geschlagen", sagt Franziska. "Auch nicht, als ich klein war."
"Früher, als Kind, habe ich öfter eine Ohrfeige bekommen. Aber nur von meinem Vater. Und mein Bruder kriegt auch heute noch oft eine."
"Und deine Mutter? Was sagt die dazu?"
Eva lacht. "Sie leidet mit uns. Für jede Ohrfeige gibt es mindestens eine heimliche Tafel Schokolade."
Franziska schaut sie neugierig an. "Gehst du oft abends weg?"
"Nein, gestern das erste Mal. Und du?"
"Ich auch nicht. Ich kenne immer noch wenig Leute hier."
Eva verzieht das Gesicht. "Ich bin hier geboren und kenne auch kaum jemanden." Dann steht sie auf und klopft sich den Staub aus dem Rock. "Sehe ich wieder ordentlich aus?"
"Ja", antwortet Franziska. "Deine Haare sind viel schöner, wenn du sie offen trägst. Du hast wirklich tolle Haare."
Eva schaut schnell zur Seite. "Komm, gehen wir wieder rauf."

Eva lernt gerade: affligere, affligo, afflixi, afflictum, als Berthold ihre Tür aufmacht. "Der Papa ist am Telefon", sagt er. "Für dich."
Eva geht ins Wohnzimmer und nimmt den Hörer.
"Eva?", fragt der Vater.
"Ja."

“Ich bin zu der Telefonzelle an der Ecke gegangen, weil ich mit dir sprechen will.”
“Ja”, sagt Eva.
“Ich hatte gestern wirklich Angst, dass dir was passiert ist.”
Eva schweigt. Aus der Küche dringt das Klappern von Geschirr.
“Eva”, sagt der Vater. “Die Ohrfeige gestern, das war nicht in Ordnung.”
Eva drückt den Hörer fest an ihr Ohr. “Ich hätte ja auch anrufen können”, sagt sie.
“Ja.”
“Aber das ging nicht. Ich war tanzen. Das erste Mal.”
“War es schön?”
“Ja, sehr.”
“Ich muss zurück ins Büro”, sagt der Vater. “Also, das nächste Mal rufst du an, ja? Bis später.”
“Bis später, Papa.”
Eva geht in die Küche. “Mama, soll ich für dich einkaufen gehen?”
Sie muss über das erstaunte Gesicht der Mutter lachen. Und sie lacht auch noch, als sie den schweren Einkaufskorb nach Hause trägt. Sie fühlt sich so leicht wie auf einer Wolke. Als würde sie nur durch das Gewicht der Kartoffeln und Äpfel auf der Erde gehalten. So schlimm ist er nicht, mein Vater, denkt sie. Das soll ihm erst mal einer nachmachen, extra zur Telefonzelle gehen und anrufen!
Sie beschließt, abends von dem Sommerfest im Freizeitheim zu erzählen. Sie will unbedingt hingehen. Vielleicht wird er es erlauben. Jetzt, wo er so sanft ist.

Eva isst beim Abendessen fast nichts. Sie ist aufgeregt.
“Bis zehn geht es am Samstag im Freizeitheim”, sagt sie. “Und dann muss ich noch heimfahren. Vor elf kann ich nicht zurück sein.”

“Ich erlaube nicht, dass du so spät allein durch die Gegend fährst”, sagt der Vater.
“Aber Fritz, sie ist bald sechzehn.”
“Ich bin kein kleines Kind mehr”, sagt Eva.
“Ich weiß. Das habe ich in der letzten Zeit schon öfter gehört. Aber ich lasse meine Tochter nicht abends allein durch die Stadt fahren. Ich hole dich ab.”
“Um Gottes willen, Papa! Wie sieht das denn aus? Was sagen denn da die anderen, wenn du mich abholst wie ein kleines Mädchen vom Kindergeburtstag!”
“Kein Wort mehr. Entweder ich hole dich ab oder du bleibst zu Hause. Was anderes gibt es nicht. Lest ihr denn überhaupt keine Zeitung? Jeden Tag Mord und Totschlag. Und Vergewaltigungen.”
Eva heult fast vor Wut.
“Fritz”, sagt die Mutter, “man muss seinen Kindern auch Freiheit geben. Das liest man überall. Und die Leute, die das schreiben, sind Experten.”
“Du glaubst auch alles”, sagt der Vater böse. “Wie ich meine Kinder erziehe, lass ich mir nicht von anderen sagen. Ich weiß selbst am besten, was für sie gut ist.”
“Aber Eva ist ein vernünftiges, ordentliches Mädchen. Sie hat noch nie eine Dummheit gemacht.”
“Und das soll auch so bleiben.” Der Vater geht ins Wohnzimmer und gleich darauf hört man die Stimme des Nachrichtensprechers.
“Gute Nacht”, sagt Berthold, der die ganze Zeit schweigend dabeigesessen hat.
Die Mutter fängt an zu spülen. “Dass es immer Streit geben muss.”
Eva verlässt die Küche und knallt die Tür zu.

Später sitzt sie an ihrem Schreibtisch. Sie malt schwarze Striche auf ein Blatt Papier. Da kommt ihre Mutter herein, mit einem Tablett. “Ich habe dir was zu essen gebracht”, sagt sie. “Du kannst doch nicht ohne Essen

schlafen gehen."
Auf dem Tablett steht neben Brot und Butter eine geöffnete Blechdose mit Lachs. Zartrosa. Ölglänzend.
"Echter Lachs", sagt die Mutter. "Ich habe ihn eigentlich für Papas Geburtstag gekauft. Aber jetzt bekommst du ihn." Sie greift in ihre Schürzentasche. "Hier ist auch noch eine Tafel Schokolade."
Sie stellt das Tablett auf Evas Nachttisch. "Lass dich doch von ihm abholen", sagt sie. "So schlimm ist das doch nicht."
Eva schüttelt den Kopf. "Nein."
"Ach Gott", sagt die Mutter, "den Dickkopf hast du von ihm." Sie legt die Hand auf den Türgriff. "Ich muss jetzt rüber, sonst wird er böse."
Eva schiebt eine Kassette in den Rekorder, rollt ihre Bettdecke als Rückenstütze zusammen und stellt das Tablett neben sich auf das Bett. Dann fängt sie an, sich ein Brot zu schmieren.
Echter Lachs ist zu schade für Brot, denkt sie. Viel zu schade. Ich werde ihn nachher so essen.
Sie schmiert die Butter sehr dick. Butter, ganz kalt aus dem Kühlschrank, auf weichem Brot, das ist was Gutes. Sie isst zuerst rundherum die Rinde ab, dann macht sie sich an das weiche Innere. Sorgfältig schiebt sie vor dem Abbeißen die Butter mit den Zähnen in die Mitte, bis sie nur noch ein kleines Stück Brot mit einem dicken Rand aus Butter übrig hat. Die Musik ist weich und schmelzend. Eva kaut. Wenn ich achtzehn bin, denkt sie, dann ziehe ich aus. Noch zwei Jahre und drei Monate. Und wenn ich von Wasser und Brot leben muss! Sie streicht Butter auf die zweite Scheibe Brot. Mein Zimmer wird ganz klein sein. Und ich gebe Nachhilfestunden, damit ich die Miete bezahlen kann. Fünfzehn Mark bekomme ich mindestens. Vielleicht zwanzig. Mathe und Englisch kann ich gut genug, und mein Französisch reicht auf alle Fälle für die Unterstufe. Viel Geld werde ich nicht

haben, natürlich nicht, aber niemand wird mir sagen, was ich tun darf und was nicht. Freiheit. Sie schiebt sich eine Scheibe Lachs in den Mund. Freiheit. Ein Wort, das wild und schön klingt. Wie Abenteuer und große, weite Welt. Der Lachs ist zart. Er zergeht ihr richtig auf der Zunge. Echter Lachs. Geschieht dir ganz recht, denkt sie, als sie die zweite Scheibe im Mund hin- und herschiebt. Geschieht dir ganz recht, dass ich ihn jetzt esse. Franziska darf abends so lange wegbleiben, wie sie will.
Vor der letzten Scheibe dreht sie die Kassette um. Es ist zehn Uhr. Ihre Eltern gehen ins Bett. Sie hört die Wasserspülung im Badezimmer. Automatisch dreht sie den Kassettenrekorder leiser.
"Gute Nacht", ruft die Mutter durch die Tür. "Gute Nacht, Eva."
Eva antwortet nicht. Freiheit! Noch zwei Jahre, drei Monate und fünf Tage.
Sie nimmt ein leeres Heft, ein Mathematikheft, und schreibt auf die erste Seite ganz oben: Dienstag, 1. Juli, und darunter: Mittwoch, 2. Juli, dann Donnerstag, 3. Juli, dann den vierten und immer weiter. Nach fünf Seiten hört sie auf. Sie ist erst beim achten September. Morgen wird sie weitermachen, oder übermorgen. Und jeden Tag wird sie einen Tag durchstreichen. Der Gedanke gefällt ihr. Sie fängt an, neben die Zahlen kleine Bildchen zu malen. Einen Stier neben den ersten Juli, einen schwarzen Stier mit erhobenem Schwanz und Dampfwölkchen aus den Nasenlöchern. Einen runterhängenden großen Penis malt sie ihm noch hin. Doch dann radiert sie ihn schnell wieder weg.
Morgen muss sie zur Schmidhuber, die will ihr ein Kleid nähen. Vielleicht wird es bis Samstag noch fertig. "Ein Sommerkleid ist schnell gemacht", hat ihre Mutter gesagt. "Wir gehen gleich nach dem Essen in die Stadt, wegen Stoff." Eva malt ein Sommerkleid neben den zweiten Juli. Übermorgen wird sie Michel treffen, um

drei am Brunnen. Sie zeichnet ein Herz, sucht ihre Filzstifte und malt es rot an. Und neben den Samstag setzt sie auch ein rotes Herz. Sie wird hingehen, und wenn sie ausreißen muss. Entschlossen klappt sie das Heft zu und steckt es in ihre Schultasche.

Im Bett denkt sie noch einmal: Zwei Jahre, drei Monate und fünf Tage. Sie sagt laut das Wort “Freiheit” und lässt es mit einem Stück Schokolade auf ihrer Zunge zergehen.

Freiheit, Freiheit!

Das neue Kleid, aber sonst ändert sich nichts

Eva hat einen braun-beige gestreiften Stoff ausgesucht. "Etwas Auffallendes kannst du nicht tragen", hat die Mutter gesagt. "Aber etwas Frisches, Kräftiges sollte es schon sein. Schau mal, der rote Stoff da, ein ganz modernes Muster."
"Nein", hat Eva gesagt. "Ich will diesen da."
"Na ja, wie du willst. Er ist aber ziemlich teuer."
Sie haben ihn gekauft. "Vielleicht hast du Recht, Eva. Streifen machen schlank."
Bei der Schmidhuber sitzen sie um den großen Wohnzimmertisch und blättern in Modeheften. Es gibt selbstgebackene Kekse und Limo. Die Mutter und die Schmidhuber benehmen sich so aufgeregt, als gingen sie selbst zu einem Fest.
"Hier", sagt Eva und deutet auf ein einfaches Sommerkleid mit kurzen Ärmeln und einem runden Ausschnitt. "So ein Kleid hätte ich gern. Kannst du das machen?"
"Aber natürlich, Evachen. Wenn du das willst! Sollen wir nicht noch weitersuchen?"
"Nein. So eines hätte ich gern."
Eva hilft der Schmidhuber beim Tischabräumen. Die Schmidhuber legt das Schnittmuster mit den vielen schwarzen Linien auf den Tisch und ein durchsichtiges Papier darüber. "Dass du dich da auskennst", sagt Eva.
Die Schmidhuber lacht. "Gelernt ist gelernt", sagt sie. Sie vergleicht Evas Maße mit denen im Schnittmuster und zeichnet an der Hüfte noch ein paar Zentimeter dazu. Eva ist ihr dankbar, dass sie nicht wie sonst sagt:

Du bist ja wieder dicker geworden.
"Wenn ich noch mal so jung wäre", sagt die Mutter, "würde ich alles anders machen."
"Was würdest du anders machen?", fragt Eva.
"Ich weiß nicht", antwortet die Mutter. "Ich würde vielleicht nicht mehr so früh heiraten."
"Aber dir geht es doch gut", sagt die Schmidhuber und fängt an, den Stoff zu zerschneiden. "Dein Mann ist fleißig und du hast zwei gute Kinder."
Eva beißt sich auf die Lippe.
"Ja, ja", sagt die Mutter, "du hast ja Recht. Aber trotzdem! Die Tage gehen vorbei und gleich ist wieder ein Jahr um." Sie wischt sich mit der Hand über die Augen.
Freiheit, denkt Eva. Freiheit, Freiheit, Freiheit! Und sie steckt sich noch einen Keks in den Mund.
"Evachen, du musst einen guten Beruf lernen, dann bist du unabhängig", sagt die Schmidhuber.
Eva lacht. "Mach ich, Tante Renate", sagt sie.
Als das Vorderteil und der Rücken zusammengeheftet sind, muss Eva anprobieren. Schnell zieht sie Rock und Bluse aus und noch schneller zieht sie das neue Kleid an. Sie hat den beiden Frauen den Rücken zugedreht.
Dann steckt und heftet die Schmidhuber an ihr herum, die Stecknadeln zwischen den Lippen. "Arme hoch, Evachen."
"Ja, so ist's gut."
"Dreh dich mal um."
Dann legt sie die Stecknadeln zurück in die Schachtel. "So!", sagt sie. "Jetzt kannst du dich im Spiegel betrachten."
Im Flur ist ein großer Spiegel mit Goldrahmen. Eva dreht sich langsam hin und her. Das Kleid gefällt ihr und sie sieht wirklich nicht gar zu fett darin aus. Besser jedenfalls als in Rock und Bluse. Sie öffnet den Pferdeschwanz und schüttelt den Kopf, bis ihr die Haare locker über die Schulter fallen. Die Schmidhuber ist hin-

ter sie getreten und legt ihre runden Arme um sie.
“Gut siehst du aus, Eva. So solltest du die Haare immer tragen.”
“Zu Hause hab ich nicht den Mut dazu, du kennst Papa ja.”
Die Schmidhuber lacht. “Schönes dickes Haar hast du, Eva.” Sie fasst hinein und zaust sie. “Lass dir nicht alles gefallen. Lass dir ja nicht alles gefallen!”

“Also, was ist mit morgen Abend?”, fragt der Vater am Freitag beim Essen. Eva senkt den Kopf über den Teller und holt mit der Gabel ein Stück Speck aus den Linsen.
“Du kannst mich abholen”, sagt sie.
“Gut.” Der Vater ist zufrieden. “Wann soll ich kommen?”
“Um zehn ist es aus. Aber Michel hat gesagt, dass es meistens ein bisschen länger dauert. Wenn du vielleicht um halb elf, elf kommst?”
“In Ordnung.” Er ist wirklich besonders freundlich.
Kein Wunder, denkt Eva, es passiert ja auch, was er will.
Michel hat es gar nicht schlimm gefunden, dass ihr Vater sie abholen wollte. “Ich verstehe dich nicht”, hat er gesagt, “ich an deiner Stelle wäre froh, wenn ich abends nicht mit der Straßenbahn fahren müsste.”
“Und wo ist das eigentlich?”, fragt der Vater.
“Staufenerstraße”, antwortet Eva. “Staufenerstraße 34.”
Der Vater schaut hoch. Eva hat es erwartet. Sie sucht mit unbewegtem Gesicht weiter nach Speckstückchen. Es sind keine mehr da. “Kann ich ein bisschen Essig haben?”
Berthold gibt ihr die Flasche. “Wo gehst du hin?”, fragt er.
“Hast du geschlafen?”, sagt Eva. “Zu einem Fest, in einem Freizeitzentrum.”

“Ach so.” Berthold isst weiter.
Der Vater legt laut seinen Löffel auf den Teller. “Hast du gewusst, wo das ist, Marianne?”
Eva hat gewusst, dass es so sein würde. Die Mutter schaut sie an. Sie wirft ihr einen Blick zu, einen von diesen heimlichen Blicken, die Eva nicht mag. Sie wird nervös davon.
“Ja”, sagt die Mutter. “Natürlich habe ich es gewusst.”
Eva ärgert sich. “Sie hat es nicht gewusst”, sagt sie.
“Warum soll es nicht dort draußen sein?”, fragt die Mutter schnell und stellt die leeren Teller aufeinander. “Gleich bringe ich den Nachtisch.”
Der Vater schweigt. Er würde mir am liebsten verbieten hinzugehen, denkt Eva. Aber jetzt hat er nicht mehr den Mut dazu.
Der Schokoladenpudding ist dunkelbraun, die Pfirsichhälften aus der Dose sind gelb und oben drauf gibt es Sahnehäufchen, mit dunkelbraunen Schokoladestückchen verziert. “Das Auge isst immer mit.”
Eva schiebt einen Löffel Schlagsahne in den Mund und lässt sie auf der Zunge zergehen. Sie denkt an das neue Kleid. Die Schmidhuber hat es heute gebracht.
Eva schiebt den Glasteller mit dem Nachtisch weg. “Ich bin satt.” Ein bisschen Schlagsahne hat sie gegessen, sonst nichts. Der Vater nimmt den Teller und stellt ihn vor Berthold hin.

Ein Fest mit gutem Anfang und bitterem Ende

“Komm endlich, Eva.” Michel zieht sie hinter sich her. In dem hellen Haus laufen viele Kinder und Jugendliche herum.
“He, Michel, ist das deine Freundin?”, fragt ein Junge mit einer schwarzen Lederjacke. Michel nickt.
“Das war Stefan, ein Freund von meinem Bruder”, erklärt Michel Eva. “Aber jetzt komm, ich will dir jemand zeigen.”
Sie betreten einen mit Luftballons geschmückten Raum. Auf einer kleinen Bühne stehen Lautsprecherboxen, an denen drei Männer herumbasteln. Es quietscht und brummt. Michel hält sich die Ohren zu. “Petrus”, schreit er. “Kommst du mal?”
Einer der Männer, ein großer, magerer, dreht sich um. Er dreht den Lautsprecher kurz so laut, dass Eva erschrocken den Kopf einzieht. “Es klappt jetzt, Leute”, sagt er zu den beiden anderen. “Ihr könnt die Bänder ordnen.” Dann springt er von der Bretterbühne herunter. “Hallo, Michel.” Er gibt Michel die Hand, dann Eva. “Und du bist die Eva?”
Sie nickt verlegen. Der Mann ist noch jung. Er gefällt ihr, trotz seiner großen Nase und der Stirnglatze.
“Ich heiße Peter Guardini. Aber hier sagen alle Petrus zu mir.” Er lacht.
Eva betrachtet Michel von der Seite. Mit leicht offenem Mund blickt er Petrus an. Wie ein kleiner Junge, der gelobt werden will, denkt Eva.
Petrus legt seine große Hand auf Michels Schulter.

"Schön, dass du deine Freundin mitgebracht hast. Wir fangen gleich an. Ihr könnt noch im Garten beim Dekorieren helfen."
"Okay, Petrus, machen wir." Eva geht hinter Michel her durch einen kleinen Raum hinaus in die Sonne.
Im Garten stehen auf langen Tischen Plastikteller und Plastikbecher. Ein paar Mädchen dekorieren die Tische mit Zweigen. "Schau mal, Ilona, dein Bruder mit einem Mädchen!", ruft eine von ihnen.
Eva legt die Hand über die Augen. Die Sonne blendet und sie kann keine Gesichter erkennen.
Ein Mädchen kommt auf sie zu, jünger als Eva. Farblos, langweilig und viel zu dick. Das Mädchen trägt ein Kleid aus genau dem Stoff, den die Mutter für sie kaufen wollte. "Wer ist das?", fragt das Mädchen und schaut Michel fragend an.
Michel legt einen Arm um Eva. "Das ist Eva", sagt er. "Meine Freundin." Und zu Eva sagt er: "Und das ist meine Schwester Ilona."
Eva streckt dem Mädchen die Hand entgegen, will Guten Tag sagen oder so etwas. Aber bevor sie noch den Mund aufmachen kann, hat das Mädchen sich umgedreht und ist weggegangen. Eva zieht ihre Hand zurück.
"Ilona ist ein bisschen komisch", sagt Michel. "Aber sie meint es nicht böse. Wenn du sie erst besser kennst, wirst du das merken."
Eva schaut dem Mädchen zu, das schon wieder mit langsamen Bewegungen Zweige von einem blühenden Strauch schneidet. Ilona ist ein unpassender Name für so ein Mädchen, ein Name, der nach Lagerfeuer und Zigeunermusik klingt.
Eva hilft Michel beim Verteilen der Limoflaschen. Michel lacht. "Bier gibt es drinnen an der Bar. Das muss man kaufen."
"Trinkst du schon Bier?"

Michel lacht. "Hast du geglaubt, ich bin noch ein Baby?"
"Nein, aber das Jugendschutzgesetz ..." Eva ist verwirrt.
"Ach das", antwortet Michel. "Außerdem bin ich gestern sechzehn geworden."
"Wirklich? Warum hast du mir nichts gesagt?"
"Ich dachte, wir feiern heute sowieso."
"Ich hätte dir etwas schenken können."
"Schenk mir was, wenn ich wegfahre."
Laute Musik kommt aus dem Haus. "Es fängt an", sagt Michel. "Komm schnell."
In dem geschmückten Raum haben viele schon angefangen zu tanzen. "Nebenan gibt es ein Programm für die Kleinen und die, die nicht tanzen wollen", erklärt Michel. "Was magst du?"
"Tanzen."
Diesmal braucht sie viel Zeit, bis sie endlich in die Musik findet, viel Zeit und Michels Hand. Aber dann geht es. Es geht dann sogar sehr gut. Ich kann es, denkt Eva, ich kann es immer wieder.
Sie tanzt schnell. Gesichter schwimmen vorbei, fremde Gesichter, und manchmal Michel. Als sie schon fast keine Luft mehr bekommt, geht sie mit Michel zu der kleinen Bar.
"Bier", bestellt Michel. "Du auch, Eva?"
Sie schüttelt den Kopf. "Cola", sagt sie automatisch. Limo wäre ihr lieber gewesen.
"Mach keinen Scheiß, Michel", sagt der bärtige junge Mann hinter der Bar. "Du weißt genau, dass ich dir kein Bier geben darf."
"Ich bin gestern sechzehn geworden."
"Wirklich?"
"Wenn ich es sage."
Später gehen sie in den Garten und essen Würstchen, danach wird es sehr voll im Tanzraum. Die Musik ist jetzt lauter, das Licht nicht mehr so hell. Jemand hat die

großen Deckenlichter ausgemacht.
Eva tanzt. Sie tanzt auch weiter, als Michel wieder etwas trinken will. Sie tanzt allein weiter, merkt kaum, dass er weggeht. Ein Junge stellt sich neben sie, einer mit ganz kurzen Haaren, einer engen, glänzenden Hose und einem bunten Hemd. Ein Angeber, denkt Eva, aber er sieht gut aus.
"Du tanzt gut", sagt der Typ und greift nach ihr.
"Nein", sagt Eva, die erst jetzt merkt, dass viele dicht aneinander gedrückt tanzen. "Nein", sagt sie noch einmal, "ich mag das nicht."
"Gefalle ich dir nicht?", fragt der Junge provozierend.
Eva lässt ihn stehen, dreht sich um und geht zur Bar. Eine Gruppe von Jungen und Mädchen steht dort herum. Sie haben Bierflaschen in der Hand.
"Lasst mal Michels Braut durch", ruft ein Rothaariger. Die anderen lachen. Eva ärgert sich, weil sie rot wird.
"Michel, deine Frau sucht dich!", sagt der Rothaarige.
Eva wäre am liebsten unsichtbar. Sie spürt plötzlich, wie verschwitzt sie ist, spürt, wie ihr Körper unter den neugierigen Blicken dick und unbeweglich wird. Doch da kommt Michel und nimmt ihre Hand. "Halt's Maul, Pete", sagt er zu dem Rothaarigen. "Halt's Maul und lass mein Mädchen in Ruhe."
"Was denn", antwortet der Rote. "Seit wann bist du so empfindlich? Hältst dich jetzt wohl für was Besseres, wie? So toll ist sie nun auch wieder nicht. Dafür hättest du zwei kriegen können."
Er hat mit mir angegeben, denkt Eva, als sie hinter Michel hergeht, hinaus in den Garten. Er hat sicher allen erzählt, dass ich ins Gymnasium gehe. Aber er hat vergessen zu sagen, dass ich so fett bin.
Draußen im Freien ist es kaum kühler als im Haus. "Es wird ein Gewitter geben", sagt Eva.
"Ja."
"Tut es dir Leid, dass du mich hergebracht hast?"

“Nein”, sagt Michel böse. “Der Pete ist ein blöder Kerl. Man darf nicht hinhören, wenn er was sagt, so blöd ist der. Komm wieder rein.”
An die Tür gelehnt steht der Junge mit der engen, glänzenden Hose und dem bunten Hemd. “Na”, sagt er. “Wo war denn mein kleiner Bruder mit seinem Frauchen? Ein bisschen Händchen halten? Keine Angst gehabt?”
“Lass mich in Ruhe, Frank”, sagt Michel und drängt sich an dem Jungen vorbei. Als Eva durch die Tür geht, streckt Frank die Hand aus und berührt ihre Brust. Eva geht schnell weiter. “Dein Bruder ist nicht besonders freundlich”, sagt sie zu Michel. Er schüttelt den Kopf. “Wir haben oft Streit. Er ist so.”
Eva betrachtet die Tanzenden, besonders die Mädchen, ihre Hüften, ihre Taillen, die engen Hosen. Und sie fühlt sich wieder sehr fremd.
Schlager, romantische Musik. Michel legt den Arm um sie. Sie gibt sich Mühe, nicht zur Seite zu sehen, nicht auf die Umgebung zu achten, nur Michels Hand auf ihrer Hüfte zu spüren. Nur seinen Körper, der ihr so nahe ist. Nur das.
Jemand tippt ihr auf die Schulter. “Kannst du Walzer?”, fragt Petrus.
Sie nickt.
“Entschuldige mal”, sagt Petrus zu Michel und tanzt mit Eva weiter. In einer Ecke stehen zwei, fast bewegungslos, eng aneinander. Eva dreht den Kopf weg. Plötzlich ist sie sehr müde. Stefan tanzt mit ihr und der Junge mit der schwarzen Jacke, dann wieder Michel. Sie lässt sich drehen und führen, bis ihr das Licht vor den Augen tanzt.
“Ich brauche frische Luft.”
Sie setzen sich auf die Treppe, die vom Haus in den Garten führt. Im Garten ist niemand. Auf den Tischen stehen die Plastikteller mit Senfresten, leere Limofla-

schen, angebissene Brötchen.
Eva rückt näher zu Michel, ganz dicht an ihn heran. "Ich bin verschwitzt", sagt sie. "Ich stinke."
"Nein, du stinkst nicht." Michel legt seine Hand auf ihr Knie, schiebt sie weiter unter ihren Rock.
"Gehst du noch ein bisschen mit mir spazieren?" Seine Stimme ist so leise, dass Eva ihn kaum verstehen kann. Er legt seinen Kopf an ihre Schulter. Eva schaut hinauf in den Himmel und die Welt ist voller Sterne. Seine Hand, denkt sie. Wenn uns jemand sieht.
"Was macht denn unser Kleiner da?", fragt Frank.
Eva zuckt zusammen. Es gibt keine Sterne mehr auf der Welt. Michel hat seine Hand zurückgezogen.
"Hau ab, Frank", sagt er.
"Wie redest du denn mit mir? Bist du verrückt geworden? Geh halt mit deiner Puppe woanders hin, wenn du sie auf den Rücken legen willst."
"Nimm dich in Acht!" Michel ist aufgesprungen und schaut seinen Bruder wütend an. Frank steht da, die Daumen in seinen Hosentaschen eingehakt, breitbeinig.
Eva weicht Michels Blick aus. Sie macht ein paar Schritte seitwärts in den Garten, hinein in den Schutz der Dunkelheit. Ein Junge mit einer Lederjacke kommt aus der Tür. "Was ist, Frank, machst du wieder eine große Schau?", sagt er.
Frank beachtet ihn nicht. "Wie machst du es denn mit ihr?", fragt er Michel. "Kommst du überhaupt dran, wenn du auf ihr liegst?"
"Du alte Sau!"
"Werd nicht frech, Kleiner, sonst kannst du was erleben!"
"Probier's doch! Los, probier's doch mal!" Michels Stimme klingt hoch und schrill. Frank tritt nach Michel. "Willst du deinem Fettkloß beweisen, was für ein toller Kerl du bist?"
Michel stürzt sich auf ihn, hämmert wild mit den Fäus-

ten auf ihn ein. Eva steht bewegungslos. Ihr Mund öffnet sich, aber sie schreit nicht. Sie sieht, dass auf einmal einige Jungen und Mädchen in der Tür stehen und dem Kampf zuschauen.
"Mensch, Frank, hör auf, du bist ja verrückt!", ruft einer.
"Los, Michel, zeig's ihm!", drängt ein anderer.
Plötzlich hat Frank ein Messer in der Hand.
"Nein!", schreit Eva. "Nein, nein!" Hat sie so laut geschrien? Panik erfasst sie. Sie will sich auf die Kämpfenden stürzen, aber sie kann sich nicht bewegen. Die anderen in der Tür haben weiße Gesichter, weiß mit dunklen Löchern darin. Jemand schiebt Michel einen Stuhl zu, der Junge, der vorher "Zeig's ihm" gesagt hat. Michel nimmt den Stuhl an zwei Beinen, hebt ihn hoch über den Kopf, macht zwei Schritte auf Frank zu und schlägt mit dem Stuhl auf ihn ein. Eva schließt die Augen. Als sie sie wieder aufmacht, liegt Frank auf dem Boden. Aus einer Wunde an seinem Kopf läuft Blut. Michel steht da, noch immer den Stuhl in den Händen, und schaut erschrocken auf seinen Bruder. "Nein", wiederholt er immer wieder, "nein, nein! Das nicht!"
Ein Junge mit einem silbernen Kreuz um den Hals nimmt Michel den Stuhl aus der Hand und trägt ihn zurück ins Zimmer. Die anderen machen ihm schweigend Platz. Und dann ist Ilona da, setzt sich neben Frank und nimmt seinen Kopf auf den Schoß. Sie wiegt ihn hin und her, wie eine Puppe, und Tränen laufen über ihr Gesicht. Ihr Kleid ist hochgerutscht, ihre Oberschenkel sind dick und weiß in dem Licht, das aus der offenen Tür fällt.
"Ilona, nicht! Frank muss ganz ruhig liegen." Petrus hat sich gebückt und hält den Kopf des Jungen. Ilona schaut ihn mit großen Augen an. Jemand kommt und zieht sie weg.
"Reiner, ruf den Notarzt", sagt Petrus.

Ein Junge geht zurück ins Haus. Niemand sagt ein Wort. Auch als der Notarzt kommt, mit Sirene und Blaulicht, wird nicht viel gesprochen.
"Frank Weilheimer heißt er, ja."
"Nein, wir haben nichts gesehen. Wir waren beim Tanzen."
"Er muss gestürzt sein."
"Ja, so war es wahrscheinlich."
Die anderen stehen um Michel herum, der mit aufgerissenen Augen zuschaut, wie Frank auf eine Trage gehoben und zum Krankenwagen gebracht wird.
"Das ist nur passiert, weil du gekommen bist!", sagt Ilona zu Eva.
Alle helfen, das Haus aufzuräumen. Petrus hat Michel und Ilona nach Hause gebracht, kommt aber bald wieder zurück. "Schluss mit dem Fest", sagt er.
Niemand antwortet ihm.
Eva sammelt gerade die Plastikbecher ein, die überall herumliegen, als ihr Vater kommt.
"Sehr fröhlich seht ihr ja nicht aus", sagt er.
Eva fängt an zu weinen.
"Hat dir jemand etwas getan?", fragt der Vater. Er sieht groß und stark aus. Eva lehnt sich an ihn. Er legt den Arm um sie. "Hat dir jemand etwas getan?", fragt er noch einmal. Eva schüttelt den Kopf und wischt sich die Tränen aus dem Gesicht. Nein, niemand hat ihr etwas getan. Nichts ist geschehen, nein. Eva drückt ihr Gesicht an seinen Ärmel. Der Geruch ist vertraut und beruhigend. Nein, es ist nichts.
"Es hat einen Unfall gegeben", erklärt Petrus dem Vater. "Ein Junge ist gestürzt."

Eva weint, den Kopf in das Kissen gedrückt, mit einem heißen, tränennassen Gesicht. "Willst du deinem Fettkloß zeigen, was für ein toller Kerl du bist?" Und dann Frank, auf dem Boden. Ilona, die seinen Kopf wiegt.

Eva spürt, wie sich ihr Magen zusammenzieht. Ich Fettkloß! Meinetwegen ist es passiert, nur meinetwegen. Und Michel? Warum ist er nicht einfach weggegangen? Frank hat ein Messer in der Hand gehabt.
Eva erreicht gerade noch das Badezimmer, beugt sich über das Waschbecken und würgt, würgt alles heraus. Sie dreht den Kaltwasserhahn auf und lässt sich das Wasser über Gesicht und Hände laufen, spült das Erbrochene weg, wischt so lange, bis nur noch der säuerliche Geruch übrig bleibt.
Sie fühlt eine große Leere in sich, ein riesiges Loch. Mir tut der Magen weh, weil er so leer ist, denkt sie. Ein beruhigender Gedanke.
Sie isst eine trockene Scheibe Weißbrot, ganz langsam, kaut lange, um ihren armen, schmerzenden Magen zu schonen. Das trockene Brot kratzt in ihrem Hals. Sie wärmt sich Milch, isst ein Butterbrot dazu, dann noch eines. Salami ist im Kühlschrank, und Schmelzkäse, zwei Ecken. Die Schmerzen in ihrem Bauch werden weniger, ihr Magen wird ganz sanft, sanft und voll. Sie geht leise zurück in ihr Bett.
Es gibt kein Problem außer diesem Problem, dem Problem der Probleme. Das Fett ist es, diese ekelhafte Schicht zwischen ihr und ihrer Umwelt. Nur das Fett ist schuld. Fett bedeutet Traurigkeit und Alleinsein, bedeutet Spott, Angst, Scham.
Tief im Fett versteckt sie sich, sie, die wahre Eva, die eigentliche Eva, so wie sie sein sollte: befreit von der Last des Fettes, leicht, liebenswert.
Eingesperrt in diese Fettschicht ist sie, die wirkliche Eva, die nicht immer an Essen denkt, die nicht heimlich nach Essen sucht und es in sich hineinfrisst wie eine Maschine, wie ein Bagger, alles, egal was, und so lange, bis nichts mehr da ist.
Eingeschlossen in diesen Kokon liegt die andere Eva, die keine Gier kennt, kein Kauen, Schlingen, Schlucken,

Würgen.
Eines Tages, an irgendeinem Tag, wird das Fett in der Sonne schmelzen, ein ganzer Fettbach wird auf die Straße fließen, eine ekelhafte, stinkende ölige Flüssigkeit, und übrig bleibt sie, die andere Eva, die leichte, heitere, wirkliche Eva. Die glückliche Eva.

Probleme mit dem Essen und Probleme mit Mathematik

Am Montag um drei Uhr sitzt Eva am Brunnenrand, die Haare straff nach hinten gekämmt, mit einer Spange gehalten.
Michel kommt nicht.
Eva zieht sich die Sandalen aus und geht barfuß über den Steinweg. Die Steinchen stechen in ihre weichen Fußsohlen. Das ist gut, denkt sie. Sie versucht, sehr fest aufzutreten, so fest, dass sie die Zähne zusammenbeißen muss. “Es tut weh”, sagt sie leise vor sich hin, rhythmisch, zu jeder Silbe ein Schritt. “Es-tut-weh-es-soll-wehtun-es-muss-wehtun-es-ge-schieht-mir-recht-dass-es-wehtut.”
Sie geht durch den Park, bis zur anderen Seite, bis zum Gartencafé, und wieder zurück. Michel ist nicht da. Ihre Beine sind schwer wie Blei.
Sie zieht die Sandalen wieder an und geht in Richtung Bahnhof. An der großen Buchhandlung bleibt sie stehen. Sie zögert, muss sich zwingen, hineinzugehen.
“Kann ich Ihnen etwas helfen?”, fragt eine junge, sehr schlanke Buchhändlerin.
“Danke”, sagt Eva. “Ich schaue nur.”
Dann steht sie vor einem Regal mit Diätbüchern. Bücher zum Abnehmen, Gewichtsreduzierung, Gesünder leben.
Sie nimmt ein Buch heraus und blättert darin. Brot in Kalorien und Joule, Joghurt in Kalorien und Joule, ein mageres Steak (150 g) in Kalorien und Joule.
Eva dreht sich um. Sie fühlt sich beobachtet. Aber da

steht nur die Buchhändlerin, die schlanke. "Brauchen Sie etwas?"
Eva schüttelt den Kopf, stellt das Buch zurück in das Regal und nimmt, ohne hinzusehen, ein anderes. "Das möchte ich haben."
Zu Hause setzt sie sich an den Schreibtisch und fängt an zu lesen. Bis abends weiß sie ganze Kalorientabellen auswendig, gelernt wie Vokabeln. Ich bin schuld, weil ich so dick bin. Ich bin an allem schuld, weil ich mich nicht kontrollieren kann. In welchem Krankenhaus ist Frank? Tausend Kalorien am Tag, nicht mehr. Lieber fünfhundert. Warum ist Michel nicht gekommen? Was ist mit Frank?
"Eva! Abendessen!", ruft die Mutter. Zwei Scheiben Brot mit Butter und Lachsschinken sind fünfhundert Kalorien, selbst wenn man die Butter dünn schmiert.
"Ich habe keinen Hunger", sagt Eva. "Ich mag heute nichts."
"Wieso denn?", fragt die Mutter. "Bist du krank?"
Mama, kann ich mit dir reden? Verrätst du mich nicht?
Nein, lieber nicht. Keine dummen Bemerkungen. Kein "Es gibt Männer, die haben ganz gern was in der Hand".
"Ich bin nicht krank", sagt sie zu ihrer Mutter. "Ich habe ganz einfach keinen Hunger."

Die Tage vergehen langsam. Aufstehen, sich anziehen, beim Frühstück vorwurfsvolle Blicke der Mutter, weil Eva nur schwarzen Kaffee trinkt. Wegen dieser Blicke schmiert sie sich extra dicke Brote für die Schule, drei doppelte, die sie dann an der nächsten Ecke in einen Papierkorb wirft. Sie fastet.
Franziska fragt: "Bist du krank?"
"Nein", antwortet Eva. "Ich habe was mit dem Magen, irgendein Virus."
Franziska legt ihr tröstend die Hand auf den Arm. Ihre

Hand ist warm und angenehm. Eva friert, obwohl es so heiß ist.
Wenn der Wunsch nach Essen zu stark wird, wenn ihr der Magen während des Unterrichts wehtut, lehnt sie sich zurück und betrachtet ihre Oberschenkel. Erst ihre, dann die von Franziska.
Die Vormittage sind schlimm, aber die Nachmittage sind noch schlimmer. Beim Mittagessen sagt sie, sie hätte keinen Hunger. Sie hätte die Schulbrote erst auf dem Heimweg gegessen.
Dann geht sie zum Park und wartet auf Michel, obwohl sie weiß, dass er nicht kommt, hofft, er würde doch kommen.
Aber warum sollte er kommen? Sie ist schuld an allem. Nein, nicht sie, nicht die Eva, diese verdammte Fettschicht ist schuld.
Um vier geht sie wieder nach Hause zurück, zwingt sich zum Vokabellernen. Und kann sie hinterher doch nicht.
Noch vor dem Abendessen geht sie ins Bett. "Mir ist nicht gut, Mama, wirklich. Lass mich in Ruhe, bitte. Lass mich schlafen."
Die Mutter bringt ihr Brote. "Kind, was ist denn los mit dir?" Und Eva wickelt hinterher die Brote in eine Plastiktüte und versteckt sie in ihrer Schultasche. Am nächsten Morgen wird sie sie in den Papierkorb werfen, zusammen mit den Schulbroten. Sie weint sich in den Schlaf.
Warum kommt Michel nicht?

Eva hat Schmerzen. Ihr Magen tut weh, noch nie hat ihr etwas so wehgetan. Sie nimmt ein Buch und versucht zu lesen, aber die Buchstaben tanzen vor ihren Augen. Sie kann nur noch an Essen denken. Alles andere wird unwichtig neben diesem Hunger.
Ich will nicht essen, denkt sie. Ich will nicht.
Vier Pfund hat sie abgenommen in diesen vier Tagen,

vier Pfund. Nicht sehr viel.
Sie friert, obwohl die Sonne scheint. Ihre Haut zieht sich zusammen und ihr Kopf tut weh. Sie geht in die Küche und greift nach dem Brot, drückt es gegen ihren Bauch und schneidet eine dicke Scheibe ab. Sie legt die Brotscheibe auf ein Holzbrett und bestreicht sie mit Butter, ganz dick.
"So dick brauchst du die Butter auch nicht zu schmieren", sagt die Mutter.
"Lass mich, ich hab Hunger."
Eva nimmt den Salzstreuer.
"Soll ich dir nicht die Suppe warm machen?", fragt die Mutter.
Eva antwortet nicht. Sie trägt das Holzbrett in ihr Zimmer, legt es auf den Schreibtisch und setzt sich davor. Dann fängt sie an zu essen. Was gibt es auf der Welt außer Kauen? Was lässt sich mit Butter vergleichen, kühler Butter auf frischem Brot? Was schmeckt besser als Butterbrot mit Salz, nicht zu viel, nicht zu wenig? Es gibt kein Glück außer diesem: Kauen, das Brot im Mund zerkauen und runterschlucken und dabei das Brot in der Hand sehen und wissen: Es gibt noch den nächsten Bissen, dann noch einen.
Der Hals tut ihr weh beim Schlucken und ganz tief in ihr ist die Enttäuschung. Wieder mal nicht geschafft. Und die Enttäuschung wird zugedeckt mit diesem köstlichen Brei aus zerkautem Brot, Butter und Salz.

Die letzten Wochen vor dem Zeugnis. Jetzt ist nichts mehr zu ändern, jetzt kann man nichts mehr verbessern. Franziska ist still. "Ich schaffe es nicht", sagt sie zu Eva. "Ich schaffe es nicht. In Mathe kriege ich eine Fünf. Und noch nicht mal die habe ich verdient."
"Dafür bist du in Englisch so gut."
"Aber nur in Englisch. Mein Vater meint, ich sollte die Klasse freiwillig wiederholen, das wäre das Beste."

Sie stehen auf dem Schulhof. Um sie herum ist Geschrei, so laut, dass Eva die leise Stimme neben ihr kaum hört. Und plötzlich weiß sie, wie wichtig es ihr ist, dass Franziska weiter in der Klasse bleibt. Dass sie morgens einfach da ist und ihr guten Tag sagt.
"Nein", sagt Eva. "Du sollst nicht wiederholen, nein."
"Aber so geht es doch auch nicht weiter." Franziska hakt sich bei Eva ein. "Ich bin einfach zu blöd für Mathe. Wenn ich es nur halb so gut könnte wie du."
Eva zieht Franziska in den leeren Gang zur Turnhalle. "Ich werde mit dir lernen", sagt sie. "Dem Hochstein wird der Mund offen bleiben, so gut wirst du noch in Mathe."
"Wirklich?"
"Ja", sagt Eva. "Wirklich. Ich werde mit dir lernen."
Franziska legt ihre Arme um Evas Hals und gibt ihr einen Kuss auf die Backe. "Du bist ein Schatz."
Eva wird steif und unsicher unter dieser Berührung.

Eva hat einen Freund und will nicht, was er will

Am Freitag ist Michel da. Eva sieht ihn schon von weitem.
"Hallo, Eva."
Sie setzt sich neben ihn und berührt seine Backe. Eine dicke Backe mit einem bläulichen Bluterguss.
"Wer war das?", fragt sie.
"Mein Vater. Wegen Frank. Unter Brüdern schlägt man sich nicht, hat er gesagt."
Eva schweigt.
"Ich bin froh, wenn ich endlich wegfahren kann", sagt Michel. "Am einunddreißigsten Juli. Um vierzehn Uhr sechzehn geht mein Zug."
"Ja", sagt Eva. Und dann: "Wie geht es Frank?"
"Es ist nicht so schlimm", sagt Michel. "Gehirnerschütterung. In zwei Wochen darf er wieder nach Hause."
"Willst du eine Cola?"
Michel nickt.
Sie gehen nebeneinanderher, ohne sich zu berühren. Setzen sich unter die Platane, an denselben Tisch wie beim ersten Mal, und bestellen Cola.
"Der Frank ist schuld", sagt Michel. "Hast du sein Messer gesehen?"
"Ja."
"Er läuft immer mit einem Messer herum. Jeder weiß das und jeder hat Angst vor ihm. Auch Petrus sagt das. Er war gestern Abend bei uns. Mein Vater wollte ihn erst nicht reinlassen. Er sagt, der Petrus ist schuld. Warum hat er nicht aufgepasst? Dafür wird er doch

bezahlt. Aber dann hat er doch mit ihm geredet. Deshalb darf ich heute kommen."
"Ich hab die ganzen Tage auf dich gewartet."
"Petrus hat gesagt, dass ich kommen muss."
"Wolltest du denn nicht kommen?"
"Ich weiß nicht." Michel sieht unglücklich aus. "Ich habe mich geschämt."
"Warum?"
"Ich weiß nicht." Er spricht sehr langsam. "Wegen allem. Weil ich mich geprügelt habe. Und weil Frank im Krankenhaus ist."
Eva bestellt noch zwei Cola. "Michel, warum bist du denn so wütend geworden? Warum hast du ihn nicht einfach stehen lassen und bist weggegangen?"
"Das hat mich Petrus auch gefragt."
"Und was hast du ihm geantwortet?"
"Dass Frank dich beleidigt hat."
Eva fühlt, wie sie anfängt zu zittern. Sie fühlt sich schwach und ihr Magen wird zu einem Stein.
"Weil er gesagt hat, dass ich ein Fettkloß bin?"
Michel wird rot, schaut auf sein Glas, nickt.
"Aber ich bin dick", sagt Eva, und der Stein wird wieder weich. "Ich bin ein Fettkloß." Sie muss lachen. "Hast du das nicht gesehen, Michel?"
"Schon", sagt er. "Natürlich habe ich es gesehen."
Der Stein ist verschwunden. Evas Bauch ist weich und angenehm warm. Eva legt die Hände auf den Tisch, neben Michels Hände.
"Trotzdem geht es den Frank einen Scheißdreck an, ob du dick bist oder nicht."
Er nimmt ihre Hand.

Sie gehen zum Fluss.
"Bald fahre ich weg", sagt Michel. "Es dauert nicht mehr lange."
Eva nickt.

“Schreibst du mir?”
“Natürlich. Du mir auch?”
Michel legt den Arm um sie. Eva lacht. Am liebsten möchte sie laut rufen: Schaut alle her! Ich habe jemanden. Ich, die dicke Eva, habe einen Freund.
Langsam gehen sie weiter. Sie treffen noch einen Angler, dann sind sie weit weg von allen. Michel geht vor, bahnt den Weg durch die Büsche und hält die Zweige zur Seite. Auf einer kleinen Wiese setzen sie sich ins Gras. Eva pflückt einen Grashalm und kaut darauf herum. Er schmeckt bitter.
“Weiß deine Mutter, dass du mit mir bist?”, fragt Michel.
“Nein, sie denkt, ich bin bei einer Freundin.”
Michel lacht. “Ich habe zu Hause auch nichts gesagt, wegen Ilona.”
“Meint sie immer noch, dass ich an allem schuld bin?”
“Ja, sie liebt Frank. Ich weiß auch nicht, warum.”
“Dich nicht?”
“Doch, mich auch.”
Sie liegen nebeneinander im Gras, dicht nebeneinander. Eva ist wehrlos unter Michels Streicheln.
“Nein”, sagt sie. “Nicht.”
“Nicht”, sagt sie. “Noch nicht.”
Sie richtet sich auf. “Ich will nicht. Nicht jetzt.”
“Aber du bist doch mein Mädchen”, sagt Michel hilflos. “Ich bin dein Freund. Du brauchst doch keine Angst vor mir zu haben.”
Angst? Ist das Angst?
Sie nimmt einen Käfer, der über ihr Bein läuft, hält ihn vorsichtig zwischen Daumen und Zeigefinger und setzt ihn zurück ins Gras. Dann streckt sie sich wieder neben Michel aus.
“Die Sonne blendet.”
“Jetzt nicht mehr.” Michel legt sein Gesicht über ihres. Eva hört eine Biene an ihrem Ohr vorbeisummen. Sie

küssen sich. Michels Augen sind nicht mehr so braun, um die Pupillen herum hat er graugrüne Flecken. Wie lang seine Wimpern sind!
“Das mag ich”, sagt Eva. “Das schon, so mit dir zu liegen.”
Michel streichelt sie. Seine Hände! Eva macht die Augen zu. “Du bist ein schönes Mädchen”, sagt Michel.
Das Dunkel ist kein Dunkel. Vor ihren Augen platzen rote Kreise.
“Nein”, sagt Eva. “Ich will das nicht. Nicht jetzt. Nicht so. Ich weiß nicht warum, aber es macht mir Angst.”
Michel antwortet nicht. Sie stößt ihre Arme gegen ihn. Er rutscht von ihr herunter. Er hat die Arme um sie gelegt, drückt sich an sie. Wie ein Hund, denkt Eva erschrocken, genau wie ein Hund.
Sie sieht dieses nackte Gesicht, dieses fremde Gesicht, schutzlos, hilflos, mit geschlossenen Augen, sieht die geöffneten Lippen, die gespannte Haut über den Backenknochen. Seine Nasenflügel sind sehr dünn und zittern. Noch nie hat Eva ein so nacktes Gesicht gesehen. Michel atmet sehr laut und sehr schnell.
Eva fühlt plötzlich, wie peinlich diese Situation ist. Sie will wegrücken, aber Michel hält sie fest, vergräbt das Gesicht an ihrer Brust und stöhnt.
Dann lässt er sie los, dreht sich auf den Bauch und liegt, das Gesicht zur Seite gedreht, schweigend da.
Eva setzt sich auf. Sie ist ratlos. Sie weiß nicht, ob sie etwas falsch gemacht hat. Sie betrachtet den Baum neben ihr. Was ist das für einer? Dornen und winzige weiße Blüten. Warum hat sie in Biologie nicht besser aufgepasst? Warum sagt Michel nichts? Sie denkt an Ilona. Wie sanft sie Franks Kopf gehalten hat.
Eva dreht sich um und berührt Michel. “Bist du jetzt sauer?”
Pause.
“Ich kann nicht”, sagt Eva. “Nicht so schnell. Es macht

mir Angst, ich weiß auch nicht, warum. Es ist so ..." Sie sucht nach einem Wort für ihr Unbehagen, findet es nicht und schweigt.
"Macht doch nichts", sagt Michel. "Dann halt nicht. Ich habe ja gewusst, dass du nicht so bist wie die anderen Mädchen."
"Vielleicht werde ich es ja", sagt Eva. "Vielleicht lerne ich es noch."

Neues Selbstvertrauen und alles geht ganz leicht

“Ich habe eine Neuigkeit für euch”, sagt Herr Hochstein. “Es wird noch eine neue neunte Klasse eingerichtet. Je fünf Schülerinnen sollen aus den alten Klassen in die neue überwechseln. Nach Möglichkeit Freiwillige.”
“Warum?”, fragt Susanne, die Klassensprecherin. “Warum soll es plötzlich noch eine Neunte geben?”
“Die Klassen sind zu groß, das wisst ihr doch. Es wird euch viel besser gehen, wenn ihr weniger seid. Also, überlegt es euch und redet mal darüber. Morgen machen wir eine Diskussionsstunde, falls es Schwierigkeiten gibt.”
Eva sitzt ganz still. Natürlich sind wir viele, denkt sie. Aber wir sind so lange zusammen, fast fünf Jahre. Da können sie doch nicht einfach kommen und sagen: Fünf müssen raus. Welche fünf? Wer würde gehen?
Von ihrem Platz in der letzten Reihe sieht sie die Köpfe, die sich über die Hefte beugen. Hände, die nach einem Lineal greifen, nach Bleistift und Zirkel.
Christine hustet. Sie hustet schon die ganze Woche. Wie hat sie sich erkältet, jetzt mitten im Sommer? Heidi und Monika sind krank. Heidi fehlt schon seit über einer Woche. Was hat sie eigentlich? Warum kümmert sich niemand darum? Bringt Inge ihr die Aufgaben? Sie wohnen nebeneinander. Aber Inge steckt immer mit Gitte und Nina zusammen.
Wer würde freiwillig aus der Klasse gehen?
Agnes, in der ersten Reihe, weil sie nicht gut sieht, die Kleinste in der Klasse, sieht aus wie zwölf, trägt immer

nur Bluejeans und T-Shirts. Ob ihre Eltern kein Geld haben? Claudia und Ruth flüstern miteinander. Sie würden sich nie trennen. Die Einzigen, bei denen die Freundschaft schon seit der fünften Klasse hält. Maja und Anna waren lange Freundinnen gewesen, aber jetzt geht Maja mit Ines und Anna mit Susanne.
Und was passiert, wenn keine freiwillig aus der Klasse geht? Die Turnstunde fällt ihr ein, wenn Mannschaften gebildet werden. Sind es die, die erst am Schluss gewählt werden, die gehen müssen?
Was denken die anderen. Erwarten sie von ihr, dass sie freiwillig geht?
Warum ich?, denkt Eva. Ich will nicht gehen. Ich kenne alle. Alexandra ist Außenseiterin, sie und Sabine Karl. Keine mag Sabine Karl besonders. Wollen sie jetzt, dass Sabine Karl geht?
Eva kämpft gegen die Trauer und die Resignation. Es ist nicht nur, weil ich alle kenne, denkt sie. Es ist noch etwas anderes. Hier gehöre ich her, hier in diese Klasse.
Karola beugt sich tiefer über ihr Heft. Von ihr wird niemand erwarten, dass sie geht. Sie, Lena, Babsi, Tine und Sabine Müller, die sind eine Clique, die Schönen.
Was passiert, wenn keine freiwillig gehen will? Können sie das einfach so entscheiden? Oder mit geheimer Wahl? Eva friert.
“Eva, hast du heute keine Lust oder was?”, fragt Herr Hochstein.
Eva wird rot und nimmt ihren Bleistift.
In der Pause drängen sie sich alle zusammen. “Warum soll plötzlich jemand raus aus der Klasse?”, fragt Kathrin, die sonst nicht viel sagt.
“Mich stört es nicht. Ich habe sowieso meine Freundin in der 9 a. Wenn die sich meldet, wäre das ganz schön.” Das ist Ingrid.
“Finde ich aber nicht gut, dass du einfach von uns wegwillst.”

“So ist das ja nicht. Aber wenn doch jemand raus muss.”
“Wir sollten protestieren. Man darf keine zwingen, aus einer Klasse zu gehen, in der sie nun schon fast fünf Jahre ist”, sagt Eva.
“Richtig. Eva hat Recht. Wir lassen uns das nicht gefallen. Wenn eine will, ist das in Ordnung. Aber nicht mit Zwang.”
“Und wenn es das Direktorat einfach bestimmt?”, fragt Agnes.
“Dann streiken wir.”
“Wie?”
“Frag doch nicht so blöd. Entweder kommen wir überhaupt nicht oder wir sitzen auf den Stühlen und machen nichts. Irgendetwas wird uns schon einfallen.”
“Nichts machen ist am besten”, sagt Eva.
“Wir gehen jedenfalls nicht raus, Eva und ich”, sagt Franziska laut. “Zweimal in einem Jahr eine neue Klasse, das mache ich nicht mit.”
Eva wird ganz warm vor Freude. Wir gehen nicht raus, Eva und ich.
“Wir schreiben einen Brief ans Direktorat”, schlägt sie vor. “Mit allen Gegenargumenten. Den Brief unterschreiben wir dann alle und akzeptieren keine Diskussion.”
Susanne klopft Eva auf die Schulter. “Eine gute Idee.”
Christine hustet wieder. “Wo hast du dich eigentlich so erkältet, jetzt mitten im Sommer?”, fragt Eva.
“Ich war blöd”, sagt Christine. “Ich wollte keine Jacke anziehen, weil ich ein neues T-Shirt hatte.”
“Wer schön sein will, muss leiden.”
Christine lacht. “Hast du so was noch nie gemacht?”
Wenn sie ehrlich ist, müsste Eva jetzt nein sagen, nein, ich zieh immer gern etwas drüber, aber sie sagt: “Doch, natürlich.”
“Also, was ist”, fragt Susanne, “wer schreibt den

Brief?"
"Eva soll ihn schreiben", sagt Karola. "Sie kann's bestimmt am besten."
"Das glaube ich auch. Machst du's, Eva?"
Eva wird rot vor Freude. "Gern", sagt sie. "Aber vielleicht sollten ihn lieber mehrere zusammen planen."
"Ich mach mit", sagt Franziska. "Und Susanne sollte auch dabei sein. Und Anna."
"Okay. Wo treffen wir uns?"
"Um vier bei mir. Seid ihr einverstanden?" Franziska sieht fröhlich aus. "Das gefällt mir", sagt sie.
Auf dem Nachhauseweg pfeift Eva laut vor sich hin. Eine alte Frau schaut sie überrascht an. Eva lacht fröhlich. Ich habe was vor, denkt sie. Heute um vier bei Franziska.

Abends, im Bett, kann Eva lange nicht einschlafen. Was für ein Tag war das. Interessant, ganz anders als die anderen Tage. Erst die Diskussion in der Schule. Die anderen haben mit ihr geredet, als wäre das ganz normal.
Eva geht zum Fenster und schaut in die Dunkelheit. Franziska wohnt gar nicht so weit weg, vielleicht zehn Minuten. In einem schönen, alten Haus. Erst war Eva sehr schüchtern, aber als dann Susanne und Anna kamen, war alles ganz leicht. Sie haben um den Tisch gesessen, geschrieben und viel gelacht.
"Mensch, Eva", hat Susanne gesagt. "Ich habe immer gedacht, du interessierst dich überhaupt nicht für uns. Du bist dir zu gut für uns, habe ich gedacht."
Eva lacht den Nachthimmel an. "Ich gehöre dazu", sagt sie laut. "Ich gehöre genauso dazu wie die anderen auch. Ich bleibe in der Klasse, bei Franziska und Susanne und Anna. Und bei Karola. Warum sollte ich gehen? Ich gehöre doch dazu."
Es ist sehr dunkel draußen. Dort, irgendwo, nur zehn

Minuten entfernt, schläft Franziska.
Eva geht zurück in ihr Bett.

Michel fährt weg, aber ein Stück Käsekuchen ist immer gut

Eva betritt den Hauptbahnhof. Sie will nicht, dass man sie sieht. Dabei weiß sie, dass noch niemand da ist, der sie sehen könnte, es ist noch viel zu früh. Erst in einer Stunde wird der Zug abfahren, genau in einer Stunde, zwölf Minuten und - sie schaut auf die Uhr - zwanzig Sekunden. Eine Bewegung des Zeigers, neunzehn Sekunden, noch eine Bewegung, achtzehn Sekunden.

Es ist laut. Überall Stimmen, überall Menschen. Dazu die Züge. Und dann der Geruch. Bahnhofsgeruch. Metall, Schmutz. Schnellimbiss: Bratwurst vom Grill, Pommes. Heißes Öl stinkt.
Ein Mann hält sich unsicher an einem der einbeinigen Tische des Kiosk fest und ruft ihr zu: "Willst du was, Kleine?"
Eva geht schnell vorbei. Vor der großen Anzeigetafel "Abfahrt" bleibt sie stehen und sucht die Reihen ab. Da ist er, der Zug. Vierzehn Uhr sechzehn Abfahrt in München, zweiundzwanzig Uhr fünfundzwanzig Ankunft in Hamburg. Abfahrt Gleis fünfundzwanzig.
Eine Frau geht an Eva vorbei, eine schöne Frau, sehr groß, sehr schlank. Sie riecht nach Blumen. Rosen? Oder Veilchen? Wie riechen Veilchen? Eva kann sich nicht erinnern. Sie fühlt sich dick und verschwitzt. Warum hat sie die hellrote Bluse angezogen? Hellrot wie eine noch nicht reife Tomate. Außerdem sieht man an dieser Bluse jeden Schweißfleck. Sie braucht nicht hinzuschauen, sie weiß, wie die Flecken unter ihren

Achseln aussehen. Dunkel, mit hellem Rand.
Sie hebt die Arme leicht an, damit Luft an ihre Achselhöhlen kommt. Vielleicht trocknet der Schweiß. Dicke Leute schwitzen mehr als dünne.

Der Lärm ist wirklich schlimm. Eva hasst Lärm. Vor Geräuschen kann man nicht weglaufen.
Noch eine Stunde und drei Minuten.
Ein Schweißtropfen läuft ihr über die Schläfe, seitlich an der Backe herunter, und fällt auf die Hand, die sie ausgestreckt hat, um ihn abzuwischen.
Wann werden sie kommen? Kommen sie alle, Vater, Mutter und acht Kinder? Nein, acht können es nicht sein. Frank ist noch im Krankenhaus. "Es wird noch ein bisschen länger dauern", hat Michel gestern gesagt, als sie sich voneinander verabschiedet haben.
Sie hat ihm zum Abschied ein Kettchen geschenkt. Ein dünnes Silberkettchen mit einem 'M' dran.
"Warum kein 'E'?", hat Michel gefragt. "Ein 'E' wie Eva."
Sie haben eng umschlungen auf einer Bank gesessen.
"Schreibst du mir, Eva?"
"Ja, Michel."
Sie haben sich geküsst, sehr traurig.
"Eva, wirst du meine Freundin bleiben?"
Eva hat die Trauer gespürt, diesen kleinen Schmerz, der "Michel" heißen würde.
"Du wirst andere Mädchen kennen lernen", hat sie gesagt. "Viele."
"Du hast so schöne Haare", hat Michel gesagt und sein Gesicht in ihren Haaren vergraben. Sein Atem war warm.

Eva betritt das Bahnhofsrestaurant und setzt sich an einen Tisch, von dem aus sie Gleis fünfundzwanzig beobachten kann. Ein Glas Cola hat 80 Kalorien. 1

Kalorie ist 4,187 Joule. Na ja. Sie bestellt Mineralwasser. Michel rülpst immer laut, wenn er Mineralwasser trinkt.
"Warten Sie auch auf jemanden?", fragt eine alte Frau, die sich zu Eva an den Tisch setzt. Eva zögert, schüttelt dann den Kopf. "Nein, eigentlich nicht", sagt sie.
Die Frau hält ihre Handtasche auf dem Schoß. "Man kann nicht vorsichtig genug sein", sagt sie, als sie Evas Blick bemerkt. "Man liest das immer wieder in der Zeitung."
Die Bedienung kommt. "Ein Kännchen Kaffee, koffeinfrei, und ein Stück Käsekuchen", bestellt die Frau. Dann dreht sie sich wieder zu Eva. "Ich warte nämlich auf meine Tochter. Sie kommt für ein paar Tage zu mir, bevor sie in Urlaub fährt."
Eva nickt. Was sollte sie sonst tun? Sie ärgert sich, sie möchte lieber allein sein.
Immer noch achtunddreißig Minuten. Aber der Zug steht schon da.
"Ich lebe nämlich allein hier", sagt die alte Frau. Ihre Stimme klingt so traurig, dass Eva sie überrascht ansieht. "Seit mein Mann tot ist." Die Frau wischt sich über die Augen.
Eva tut ihr Ärger von vorhin Leid.
"So ist das", sagt die Frau und rührt mit dem Löffelchen im Kaffee. "Wenn man alt wird, ist man allein."
"Wo wohnt ihre Tochter denn?", fragt Eva und winkt der Bedienung.
"In Frankfurt", sagt die Frau.
"Das ist natürlich ganz schön weit." Eva bezahlt. "Auf Wiedersehen. Und viel Glück."
Sie kauft eine Zeitung und sucht sich einen Platz. Von hier aus kann sie den Bahnsteig sehen, ohne dass andere sie sehen können.

Um fünf vor zwei kommen sie. Eva tritt noch einen

Schritt zurück und hält die Zeitung etwas höher.
Michel trägt eine dunkle Hose und ein weißes Hemd und schleppt einen großen, braunen Koffer. Der Vater hat noch eine Reisetasche. Eva betrachtet alle neugierig. Der Vater ist nicht sehr groß, mager und dunkel. Er sieht nett aus, denkt Eva. Ein bisschen angeberisch mit der roten Fliege, aber nett.
Die Mutter trägt ein Kind auf dem Arm, ein blondes, vielleicht zwei Jahre alt. Zwei andere Kinder, zwei Buben, rennen aufgeregt hin und her. Ilona nimmt der Mutter das kleine Kind ab.
Michel sieht ganz anders aus, so mitten in einer Familie. Jünger, kindlicher.
Der Vater hebt den Koffer und die Reisetasche in den Zug. Die Mutter umarmt Michel. Sie ist groß und kräftig, eigentlich dick, und Michel verschwindet fast in ihren Armen.
Das kleine Kind fängt an zu weinen und die Mutter nimmt es wieder. Ilona streicht ihrem Bruder mit der Hand über das Gesicht.
Eva hat die Zeitung schon längst sinken lassen. Michel schaut nicht herüber. Er umarmt Ilona und streichelt ihre Haare. Seine Mutter, das kleine Kind auf dem Arm, wischt sich mit der anderen Hand über die Augen.
Eine Familie, denkt Eva. Sie sind nett zueinander. Bei uns wird nicht so viel geküsst. Wann habe ich eigentlich Berthold das letzte Mal einen Kuss gegeben? Sie kann sich nicht erinnern.
Die beiden Buben kommen von der anderen Seite des Bahnsteigs. Sie haben einen Gepäckwagen gefunden. Der eine schiebt, der andere sitzt drauf. Sie lachen und winken. Einer sieht ein bisschen aus wie Michel.
Der Bahnsteig ist voll geworden. Vierzehn Uhr zehn ist es inzwischen. Ach, Michel. Eva ist traurig.
Sie geht hinaus. Sie dreht sich nicht mehr um. Michel wird ihr schreiben, sicher, und sie wird ihm antworten.

Es ist noch nicht vorbei. Noch nicht.

Am Bahnhofsplatz ist ein Café. Eva geht hinein, setzt sich an einen freien Tisch und bestellt eine Tasse Kaffee und ein Stück Kuchen. Käsekuchen.

Ein Tag mit Überraschungen und neuen Plänen

Was für ein Tag! Und das Wetter ist nicht mal besonders schön. Eigentlich ist es eher trist, als Eva morgens aus dem Fenster schaut.
Dann, beim Frühstück, zieht der Vater plötzlich einen Hunderter aus der Tasche und hält ihn Eva hin. "Kauf dir was Schönes", sagt er. "Weil wir diesmal doch nicht in Urlaub fahren."
Berthold schaut von seinem Teller hoch.
"Du kriegst auch etwas", sagt der Vater. "Morgen, wenn du zu Tante Irmgard fährst."
Eva nimmt den Hunderter und schiebt ihn unter ihren Teller.
"Was kaufst du dir?", fragt die Mutter.
"Ich weiß noch nicht", antwortet Eva. "Vielleicht gehe ich heute in die Stadt. Mal sehen."
Sie räumt ihr Zimmer auf, ordnet ihre Kassetten, als ihre Mutter hereinkommt. "Post für dich, Eva." Sie hält ihr eine Postkarte hin und bleibt neugierig stehen.
Eva nimmt die Karte, legt sie auf ihren Schreibtisch und stellt die Beatles-Kassetten nebeneinander in das Regal.
"Na ja, dann nicht", sagt die Mutter und geht zurück in die Küche.
Eva nimmt die Karte und dreht sie um. In sauberer, kindlicher Schrift steht da: "Meine liebe Eva! Hamburg ist toll. Ich bin gerade erst angekommen. Schade, dass du nicht da bist. Ich schreibe dir bald. Dein Michel."
Eva lacht. Viel ist es nicht, aber sie freut sich, dass er an sie gedacht hat.

Laut singend räumt sie ihr Zimmer fertig auf.
Die Mutter fährt mit Berthold zum Kaufhaus. Er braucht noch Unterhosen und neue Gummistiefel, wenn er morgen zu Tante Irmgard fährt.
Eva setzt Teewasser auf und gießt die Blumen im Wohnzimmer. Da klingelt es. Eva drückt auf den Türöffner und hört, wie unten die Haustür mit einem lauten Knall ins Schloss fällt.
"Ich bin's", sagt Franziska. "Mir war es langweilig zu Hause."
"Komm rein."
Und dann sitzt Franziska, braun von der Sonne, in der hellen Hose und dem hellblauen Hemd, in Evas Zimmer, auf dem Bett, mit dem Rücken an der Wand.
"Hast du Lust, Mathe zu machen?", fragt Eva.
Franziska schüttelt den Kopf. "Heute nicht, morgen."
Was für ein Tag. Wann hat sie einmal Besuch gehabt in ihrem Zimmer? Nie? Nein, das stimmt nicht. Bis vor zwei Jahren war Karola manchmal hier.
"Ich bin froh, dass du gekommen bist", sagt sie.
Franziska lacht und streckt sich aus. "Mach doch ein bisschen Musik, ja?"
Eva sucht eine Kassette aus.
"Bei dir ist es richtig gemütlich", sagt Franziska. "Aufgeräumt."
Eva denkt an Franziskas großes Zimmer in der Altbauwohnung mit den hohen Decken. "Dein Zimmer gefällt mir besser."
"Mir nicht", sagt Franziska. "So ein Zimmer, wie du eins hast, klein, gemütlich, das ist viel schöner. Hast du schon mal in einem Altbau geschlafen? Nein? Dann musst du bald mal bei mir übernachten. Überall hört man Geräusche. Ich habe immer Angst davor, nachts aufzuwachen."
"Ich hatte früher auch oft Angst, nachts", sagt Eva. "Ich habe mir immer vorgestellt, was alles passieren

kann. Einbrecher können kommen, Mörder, oder das Haus kann anfangen zu brennen. Dabei ist in Wirklichkeit nie was passiert."
"Das kenne ich", sagt Franziska. "Ich bin dann immer zu meiner Mutter ins Bett gestiegen. Leider bin ich jetzt schon zu alt dafür. Ich habe gern bei meiner Mutter geschlafen."
"Ich habe nie bei meiner Mutter geschlafen", sagt Eva. "Aber wenn ich geweint habe, ist sie gekommen und hat mich beruhigt."
Heiße Milch mit Honig und ein Butterbrot. Oder ein paar Kekse. Und wenn es gar zu schlimm war, gab es Schokolade. Verdammt, immer war es Essen gewesen. Essen ist gut, Essen löst jedes Problem.
Eva steht auf und geht zum Kassettenrekorder. Sie zieht den Bauch ein beim Gehen.
"Die andere Seite?", fragt sie.
"Ja, bitte."
Eva dreht die Kassette um. Ich muss mir die Haare waschen, denkt sie. Unbedingt muss ich mir heute Abend die Haare waschen.
"Ich find's toll, wie du das mit dem Brief ans Direktorat gemacht hast", sagt Franziska. "Ich habe dich das erste Mal richtig reden hören, morgens in der Schule und nachmittags bei uns zu Hause. Sonst sagst du ja nie was. Man muss dir die Wörter einzeln aus der Nase ziehen."
Eva wird rot und zieht ihren Rock über die Knie. "Ich rede eben nicht viel."
"Aber du kannst das", sagt Franziska. "Wieso bist du nicht Klassensprecherin geworden?"
Eva ist für einen Moment sprachlos. Dann holt sie den Tee aus der Küche.

Eva steht vor ihrem Bücherregal. Hinter den anderen Büchern hat sie das Diätbuch versteckt. Sie zögert, doch dann nimmt sie es heraus und geht schnell in die Küche. Ihre Mutter sitzt am Tisch und liest die Zeitung.
"Mama", sagt Eva und legt das Buch auf den Tisch. "Kannst du für mich nicht mal anders kochen? Ich möchte gern ein bisschen abnehmen, wenn es geht."
Die Mutter schaut überrascht hoch. "Warum? Hat dein Freund etwas gesagt?"
Eva schüttelt den Kopf. "Nein, nicht deshalb. Aber ich bin zu dick."
"Du siehst doch gut aus", sagt die Mutter. "Und dass du so schwer bist, das hast du vom Papa."
"Und vom Essen." Eva möchte das Buch schon wieder nehmen. Es ist nicht die Diät. Nicht wirklich. Es ist die Heimlichkeit, die versteckte Scham. Deshalb redet sie doch weiter: "Ich glaube ja auch nicht, dass ich dünn werde. Aber ausprobieren möchte ich es doch, und ich will es nicht heimlich tun. Ich will nicht mehr heimlich essen und nicht mehr heimlich hungern. Nein, hungern will ich überhaupt nicht, ich kann es nicht. Aber wir könnten doch mal ein bisschen anders essen zu Hause."
Die Mutter nimmt neugierig das Buch und blättert darin herum. "Natürlich", sagt sie. "Natürlich kann ich dir so etwas kochen. Weißt du was? Ich mache auch mit. Schaden kann es mir nicht. Und dem Papa auch nicht."
Die Mutter ist ganz begeistert. "Schau mal, Fischfilet Neptun mit Grilltomate. Das hört sich prima an. Soll ich das heute machen? Und zum Nachtisch Eis?"
"Ja", sagt Eva. "Wir gehen zusammen einkaufen und dann kochen wir zusammen."
Die Mutter steht auf. "Und wenn's dem Papa nicht schmeckt, schicken wir ihn ins Restaurant."

Wie Eva eine Hose und ein Hemd sucht und etwas ganz anderes findet

Eva und Franziska haben zusammen gelernt, jetzt gehen sie in die Stadt. Den Hunderter ausgeben. Und die fünfzig Mark, die Eva noch von ihrem Taschengeld übrig hat. “Ich will mit”, hat Franziska gesagt. “Ich gehe gern einkaufen.”
“Ich weiß aber gar nicht, was ich will”, hat Eva zögernd geantwortet. Sie kann sich nicht vorstellen, wie das ist, mit Franziska. Mit der Mutter ist es anders. Die Mutter kennt Eva, weiß, dass sie einen großen Busen und einen dicken Hintern hat. Aber Franziska?
Eva will Jeans kaufen. Oder vielleicht doch lieber Bücher? Nein, eigentlich will sie eine Hose und eine Bluse.
“Für mich ist es schwer, etwas zu finden”, sagt sie zu Franziska.
“Das macht nichts. Ich habe Geduld.”
Sie fahren mit der Straßenbahn in die Innenstadt. Franziska kennt einen kleinen Laden. “Einen ganz guten”, sagt sie.
“Was für eine Jeansgröße hast du?”, fragt Eva in das Geräusch der Straßenbahn.
“Neunundzwanzig oder achtundzwanzig, das kommt auf die Firma an.”
“Ich habe vierunddreißig oder sechsunddreißig”, sagt Eva.
Der Laden ist wirklich ziemlich klein. Eva wäre lieber in einen größeren gegangen. Eine Kundin unter vielen. Aber Franziska fühlt sich hier wohl.

“Das Hemd hier gefällt mir”, sagt Eva. Das Hemd ist rosa.
“Kauf es dir doch.”
“Ich möchte eine Bluejeans”, sagt Eva zu der Verkäuferin. Und sie denkt: So eine helle Hose gefällt mir viel besser. So eine ganz helle. Und dazu das rosa Hemd. Schade.
Sie steht in der Kabine und bemüht sich verzweifelt, den Reißverschluss zuzumachen. Es geht nicht.
“Na, was ist?”, fragt Franziska von draußen.
“Zu klein.”
Franziska bringt die nächste Hose. Dann noch eine. Sie schiebt den Vorhang zur Seite und kommt herein.
“Hier, probier die mal.”
“Aber die ist doch viel zu hell”, sagt Eva. “So helle Farben machen mich doch nur noch dicker.”
“Ach was. Helle Farben stehen dir sicher viel besser als immer nur Dunkelblau oder Braun.”
Eva hat nicht den Mut zu widersprechen. Sie hofft, dass Franziska hinausgeht und nicht sieht, wie sie sich in die Hose quetscht. Aber Franziska geht nicht hinaus. Sie bleibt auf dem Hocker sitzen und schaut zu.
“Die Farbe der Hose passt zu deinen Haaren”, sagt sie.
“Schämst du dich nicht mit mir?”, fragt Eva.
“Warum?”
“Weil ich so dick bin.”
“Du bist verrückt”, sagt Franziska. “Warum soll ich mich schämen? Es gibt halt Dünne und Dicke, na und?”
Die Farbe der Hose passte wirklich gut zu ihren Haaren. Sie war so hell wie ihre Haare am Stirnansatz.
Franziska kommt mit dem rosafarbenen Hemd zurück.
“Hier, zieh an.”
Dann steht Eva vor dem Spiegel. Überrascht, dass sie so aussehen kann. Ganz anders als in dem blauen Faltenrock. Ganz anders als in den langweiligen Blusen. Überhaupt ganz anders.

"Schön", sagt Franziska zufrieden. "Ganz toll. Genau die richtigen Farben für dich."
Dunkle Farben machen schlank, helle machen dick. "Ich bin zu dick für so etwas. Findest du nicht, dass ich zu dick bin für solche Sachen?"
"Nein, finde ich nicht", sagt Franziska. "Mir gefällst du so. Und was soll's! Im dunklen Faltenrock bist du auch nicht dünner. So bist du nun mal. Und du siehst wirklich gut aus. Schau nur!"
Und Eva schaut. Sie sieht ein dickes Mädchen, mit dickem Busen, dickem Bauch und dicken Beinen. Aber sie sieht wirklich nicht schlecht aus. Ein bisschen auffällig, das schon, aber nicht schlecht. Sie ist dick. Aber es muss doch auch schöne Dicke geben. Und was ist das überhaupt: schön? Sind nur die Mädchen schön, die so aussehen wie auf den Fotos in Frauenzeitschriften? Sie muss lachen, als sie an die Frauen auf den Bildern alter Meister denkt. Volle Frauen, dicke Frauen. Eva lacht das Mädchen im Spiegel an.
Und da passiert es.
Das Fett schmilzt zwar nicht in der Sonne, kein Fettbach fließt auf die Straße, eigentlich geschieht nichts Sichtbares. Und trotzdem ist sie plötzlich die Eva, die sie sein will. Sie lacht, sie kann gar nicht mehr aufhören zu lachen, und während ihr das Lachen fast die Stimme nimmt, sagt sie: "Wie ein Sommertag sehe ich aus, wie ein Sommertag."